BRANCONEVE, VERMELHORÚSSIA

DOROTA MASŁOWSKA

BRANCONEVE, VERMELHORÚSSIA

Tradução de
MARCELO PAIVA DE SOUZA

EDITORA RECORD
RIO DE JANEIRO • SÃO PAULO
2007

CIP-Brasil. Catalogação-na-fonte
Sindicato Nacional dos Editores de Livros, RJ.

M367b Masłowska, Dorota, 1983-
Branco neve, vermelho Rússia / Dorota Masłowska; tradução de Marcelo Paiva de Souza. – Rio de Janeiro: Record, 2007.

Tradução de: Wojna Polsko-Ruska: pod flagą biało-czerwoną
ISBN 978-85-01-07357-0

1. Jovens – Polônia – Ficção. 2. Romance polonês. I. Título.

06-3915
CDD – 891.8538
CDU – 821.162.1-3

Título original polonês:
WOJNA POLSKO-RUSKA: POD FLAGĄ BIAŁO-CZERWONĄ

Copyright © 2002 Dorota Masłowska

Todos os direitos reservados. Proibida a reprodução, no todo ou em parte, através de quaisquer meios.

Ilustrações de capa e miolo: Krzysztof Ostrowski

Obra publicada com o apoio do Instituto do Livro © Programa Polonês de Tradução

Direitos exclusivos de publicação em língua portuguesa somente para o Brasil adquiridos pela
EDITORA RECORD LTDA.
Rua Argentina 171 – Rio de Janeiro, RJ – 20921-380 – Tel.: 2585-2000
que se reserva a propriedade literária desta tradução

Impresso no Brasil

ISBN 978-85-01-07357-0

PEDIDOS PELO REEMBOLSO POSTAL
Caixa Postal 23.052
Rio de Janeiro, RJ – 20922-970

EDITORA AFILIADA

PRIMEIRO ELA ME DISSE que tinha duas notícias: uma boa e uma ruim. Se inclinando em cima do balcão. Então qual eu queria primeiro. Digo que a boa. Então ela me disse que na cidade parece estar rolando uma guerra Polônia-Rússia sob a bandeira branca e vermelha. Pergunto de onde ela sabe e ela diz que ouviu dizer. Aí digo, agora a ruim. Aí pegou o batom e me disse que a Magda disse que tá acabado entre a gente. Aí piscou o olho pro Barman, qualquer coisa, era pra ele vir. E assim fiquei sabendo que ela me largou. Quer dizer, a Magda. Mesmo tendo sido legal, a gente tendo vivido muito momento bacana, muita coisa bacana tendo sido falada, por mim e também por ela. Com certeza. O Barman diz pra deixar ela pra lá. Mesmo não sendo tão fácil. Porque quando fiquei sabendo que era isso, quer dizer, que já não era, não foi ela que me disse tudo olhando no olho, foi muito diferente, ela me disse tudo justamente através da Arleta. Acho que isso foi pura estupidez da parte dela, sacanagem. E não vou esconder isso, mesmo ela tendo sido minha garota, e posso dizer que muita coisa aconteceu entre a gente, boa e ruim. Mas não precisava dizer isso através de uma amiga, pra eu ficar sabendo por último. Todo mundo sabia desde o começo, porque ela também disse pros outros. Disse que sou assim estourado e que tinham que me preparar pra isso. Tão com medo que eu faça alguma merda, porque era sempre assim. Ela disse pra eu sair e respirar um pouco. Me deu essa bosta desses cigarros dela. Mas é só tristeza que sinto mais do que qualquer coisa. E mágoa porque não foi ela quem me disse, olho no olho. Pelo menos uma palavra.

Se inclinando em cima do balcão feito uma vendedora. Como se naquele exato momento fosse me vender umas imitações, um troço qualquer com pinta de chocolate. Arleta. Água ferruginosa em copo de cerveja. Corante pra ovos de Páscoa. As balinhas que ela vendesse não teriam nada dentro. Só o papel dourado do embrulho. O que tocasse com esses dedos, essas unhas, adulterado e falso. Porque ela mesma é falsa, vazia por dentro. Fuma um cigarro. Comprado dos russos. Falso, vencido. Em vez de nicotina tem um lixo qualquer, uns bagulhos que ninguém conhece. Uns papéis, uma serragem nunca sonhada pelas professorinhas. Nunca sonhada por polícia nenhuma. E deviam prender a Arleta. Uns bagulhos que ninguém conhece e que ela empurra pra cima de todo mundo, na caradura. No telefone, ligando pro telefone.

Agora tô sentado e olho os cabelos dela. Arleta de casaco de couro e ao lado os cabelos da Magda, cabelos claros, compridos, feito uma parede, feito um monte de galhos. Olho os cabelos dela feito se olhasse uma parede mesmo, porque não são pra mim. São pros outros, o Barman, o Kisiel, os vários carinhas que entram e saem. Pra todos, mas por isso mesmo não pra mim. Outros vão pôr as mãos neles.

Chega o Kacper, senta, pergunta qual é. As calças dele curtas demais. E os sapatos são como um espelho negro onde observo os neons do bar, as máquinas de jogo, várias coisas ao redor. Bem perto da fivela dá pra ver os cabelos da Magda, que são como uma parede impenetrável. Eles me separam dela feito um muro, feito concreto. Lá do outro lado novos amores, os beijos úmidos dela. O Kacper tá num speed que só vendo, não pára o sapato no lugar. Com isso a imagem se dissolve. Tá de carro, mastiga um chiclete de menta. Pergunta se tenho lenço de papel. Perco a Magda na multidão.

Digo pra ele que não tenho. Se bem que talvez devesse ter. O Kacper tem speed, um carro inteiro de speed, o porta-malas inteiro de um golf. Fica olhando pra todo lado, como se por toda parte espreitasse o exército dos russos. Como se quisessem entrar aqui e enfiar entre as mandíbulas trêmulas dele todos aqueles cigarros russos. Pega um LM vermelho. Pergunta por que tô sentado de cara pra parede. Digo que se sentasse de costas talvez alguma coisa mudaria, né? Talvez a Magda estivesse aqui comigo, sento de costas pra parede, ela vem voando e zupt no meu colo, os cabelos no meu rosto, mete a minha mão entre as coxas dela, os beijos dela, o amor. Digo que não. Não e não. Não tô de acordo, mesmo se ela quisesse vir aqui eu diria: não chegue perto, não encoste em mim, você fede. Fede a esses caras que encostam em você quando você não tá olhando e pensa que não sabe que encostam em você. Fede a esses cigarros que pega deles, que dão pra você. Essa bosta desses LM mentolados. Comprados dos russos mais barato. Esses drinques, esse lodo que compram pra você, nesse copo onde as bactérias da boca deles nadam feito peixes, feito putas marinhas. E se quisesse ser minha do jeito que tá agora, ia ficar esperando. Eu não ia dizer nem uma palavra. Ela ia me dar um copo com um drinque e eu ia dizer: não. Primeiro tire esse chiclete que você colou no fundo, porque veio da boca de um daqueles sujos, é da boca deles, esse chiclete, mesmo que você pense que não sei. Depois vá se lavar, e só assim você vai me sentar aqui, quando estiver limpa desses cigarros fajutos, desse speed fajuto que você tá tomando no drinque. Só quando tirar esses trapos, essas plumas que não eram pra mim.

É claro que aí ainda vou estar um pouco ofendido. Viro as costas, não quero papo com ela. Digo que se ela continuar assim eu detono o bar inteiro, tudo que é copo vai pro chão, vai andar no vidro, vai quebrar esses saltos, ralar os cotovelos, rasgar o vestido com tudo que é franjinha que tem nele. Ela pede pra eu voltar. Vai ser legal como nunca, muito mais, mais dedicada. Digo que não. Digo: vou ter que explicar uma vez ou duas que já não quero nada com você e ou você se desgruda de mim ou eu mesmo faço isso. Ela diz que me amava. Digo que amava ela também, que sempre gostei dela, mesmo ela tendo sido primeiro namorada do Lolo, e antes de ser minha o carro dele era melhor, tudo que o Lolo tinha era melhor, sapato melhor, calça melhor, dinheiro melhor. Que eu quis dar um fim nele, porque não era legal pra Magda, porque era bruto. Que depois, mesmo ela sendo minha, eu sempre tava livre pra ela, sempre tava atrás dela. Mesmo não sendo sempre bom como já disse, quando por exemplo ela roubava roupa das lojas, recortava as etiquetas no provador. Brincos, bolsas, sombra pros olhos. Tudo na sacola. Não era legal, porque depois precisei uma vez passar a maior vergonha, mas quase sempre dava certo, o que fazia bem pro humor dela. Além disso tinha o defeito de ser mais nova, e os meus pais implicavam comigo por isso. Fora isso tava tudo direito, ela dizia muitas vezes que não queria outro namorado, mas só a mim, e que aquele sentimento era por mim, não pelos outros.

Chega o Esquerdo, diz que tá sabendo e que a Magda é pior que uma piranha ordinária dessas de estação, dessas que ficam na

Central, caras borradas de maquiagem, sujas. Pior até que aquelas dos russos. Entendo, mas isso, isso já não posso permitir. Que alguém com a pinta do Esquerdo tenha dito isso, aí me levanto. Que alguém com um tique de computador venha me dizer como é a minha vida, meus sentimentos, o que tenho que fazer e o que não, se a Magda é legal, se não é, porque talvez até a cova ninguém vai provar qual é a verdade sobre a Magda. Que venha julgar a consciência dela, quando ele mesmo mandou o carro em cima da Arleta só por vingança, coisa que ninguém fez com a Arleta, mesmo ela sendo como é. Aí me levanto. Olho no olho esbugalhado dele, bem de perto, pra que saiba qual é. Calado ele fica só olhando o fundo da cerveja. Diz que nos últimos dias na cidade tá tendo uma guerra Polônia-Rússia sob a bandeira branca e vermelha. Pensa que mudou o assunto. O assunto ainda é o mesmo, Esquerdo. Sei que com guerra ou sem guerra ela foi sua antes do Lolo, sei que ela foi de todos vocês antes de mim e agora vai ser de novo, porque a partir de hoje ela é de vocês, porque a partir de hoje ela tá bêbada e tá na ativa vinte e quatro horas, lâmpadas de 80 watts brilham nos olhos dela, a língua dela brilha na boca, brilha entre as coxas o neon noturno dela, podem pegar, todos, um por um. Você, Esquerdo, logo de primeira, conheço você, sei como você é, pra você a carne mais fresca, porque nessa vida você tem que levar tudo do bom e do melhor, só espuminha, café com creminho, o computador mais veloz, o melhor teclado, telefone de ouro numa bandeja de ouro, então como quiser, a Magda é sua, porque ela é a melhor, tem um coração de ouro. Tem um coração de ouro quando põe a mão na sua cabeça e diz o que quer. Tem um coração de ouro, tudo ela consegue, mas assim de um jeito que mesmo quando você paga você se sente como se tivesse pego emprestado. Se sente como se tivesse posto a si mesmo numa casa de penhores.

Tem um coração de ouro, é delicada e romântica, por exemplo, gosta de bichinhos, gosta de olhar hamsters naquelas gaiolinhas de vidro. Talvez até quisesse ter mais tarde um filho, mas de cinco anos, um que nascesse com cinco anos e nunca crescesse. Com um nome apropriado. Klaudia, Maks, Aleks. Um filhinho de cinco anos, e ela teria pra sempre dezessete, pra levar pela mão pela praça do mercado, com o vestido de franjinha, o salto alto dela. Pra carregar nas bolsas dela com batom em uma das divisórias. Ela dançaria na boate com essa criança, e os jornais iam vir e tirar fotos dos cabelos dela, brilhantes e luminosos, e a criança ia ser feia, porque sua, Esquerdo, com o nariz quebrado de nascença, com um tique de computador de nascença, feia de nascença, filha-da-puta de nascença, porque seu filho ia ser na hora um filho-da-puta. Porque você não saberia como ser legal pra Magda, como fazer ela feliz. Como dar de si mesmo pra ela, você não mostraria o mundo pra ela, só seus computadores, jogos, sangue, desespero, dor. Ela não é pra essas coisas, ela é pra fazer coisas delicadas com ela.

Porque a Magda é assim. Arleta veio me pedir fogo, diz que pelo visto tô fazendo um circo, parece que foi a Magda que disse. Mas façam o favor, olhem só os elefantes passando em cima de mim, destruindo meu coração, olhem só as pulgas. Olhem só os cachorros adestrados, porque fui que nem um cachorro adestrado, que não recebe nada em troca, só um tapão no focinho e nem obrigado nem vá se foder. Olhem, sou um cachorro adestrado pra guiar um conversível. Fogo não tenho. Porque já tô queimado. E agora quero morrer. No último instante, quando estiver morrendo, quero ver a Magda. Como ela se debruça sobre mim e diz: não morra. Não morra, isso tudo é minha culpa, agora vou ficar só com você, mas não morra, isso não tem nada a ver, o que tem a ver é se divertir, e isso tudo foi brincadeira, na verdade não fiquei com ninguém antes de você, com outros não fiquei e aliás nem nunca fiquei, eu brinquei assim pra irritar você, bobo, agora tudo vai ficar legal, a gente vai ter um filho, Klaudia, Eryczek, Nikola, você sabe, você sempre quis isso, a gente vai passear com ele de carrinho, você vai ver como vai ser, só prometa que não vai morrer, agora preciso ir ao toalete, porque a Arleta tá lá contando vantagem pra um sujeito, ele diz que é presidente de alguma coisa e que conhece todo mundo, parece conhecer até você, ele diz: Forte, conheço ele, e eu nada, caluda, não disse pra ele que você é meu namorado, porque era diferente, mas agora vou dizer pra ele a verdade, pra que ele saiba qual é.

Então faço isso depois em último caso, porque a Arleta tá dizendo que agora a Magda saiu pra algum lugar. Diz que não sabe pra onde. Diz que não sabe com quem. Pergunto pra ela se é minha amiga ou uma piranha também feito a Magda. Diz que é minha amiga. Pergunto então que porra tá rolando. Ela diz que com o Irek. Que a Magda foi com o Irek dar uma espiada na cidade, sacar os carros, ficar amigos, só isso. Então com o Irek. Mas então esse filho vai ser feio. Pior ainda que com o Esquerdo. Geneticamente anormal. Geneticamente pervertido de nascença. Geneticamente sem sentido. Genética de filho-da-puta. Desde cedo uma bolsa geneticamente inata na gengiva pra coisas roubadas, de unhas sujas inatas. Um dia vou estar viajando de trem e quando uma criança me pedir algum pra comida vou olhar o rosto dela e vou ver os olhos da Magda, a gaguice do

Irek e as minhas orelhas assim um pouco de abano numa só pessoa, porque alguma coisa lá de mim também deve ter ficado, uns genes. A cicatriz na testa também vai ser minha, de uma vez que me estatelei numa vidraça, o nariz quebrado de mais um outro, o desespero em pessoa, a criança mais feia do mundo. Aí pergunto pra ela cadê sua mãe. Se disser que não tem, que morreu, então beleza, dou. Mas se disser com o papai, então fim de papo, melhor que não me encontre no caminho, porque vai ser melhor pra ela mesma.

A Magda entra, mas sem o Irek. Pela cara dela, alguma coisa aconteceu, parece até que se decompôs em números primos, cabelo pra um lado, bolsa pra outro, vestido pra esquerda, brinco pra direita. A meia-calça cheia de lama pra esquerda. O rosto pra direita, dos olhos correm umas lágrimas pretas. Como se tivesse lutado na guerra Polônia-Rússia, como se todos os exércitos polono-russos tivessem marchado por cima dela, atravessando o parque. Revivem em mim todos os meus sentimentos. Toda a situação. Social e econômica no país. É ela toda, é tudo dela. Tá bêbada, tá acabada. Tá cheia de speed, tá cheia de fumo. Tá feia como nunca. Escorrem pelo queixo dela umas lágrimas pretas, porque o coração dela é preto como carvão. O peito dela tá preto, rasgado. Em cima do peito a malha tá desfiando. Desse peito ela vai parir uma criança negra, preta. Uma Angela de cara podre, de rabo. Com uma criança dessa ela não vai longe. Não vão deixar ela entrar no táxi, não vão vender leite. Vai dormir na terra preta das hortas. Vai morar em estufas de vidro. Comida pelas minhocas, comida pelos vermes. Vai amamentar essa criança com o leite preto das tetas pretas. Vai dar terra de jardim pra ela comer. Mas assim mesmo a criança vai morrer, mais cedo ou mais tarde.

Vem a Arleta. Digo pra dizer pra Magda que desejo pra ela uma morte rápida. Arleta faz uma bola com o chiclete. Depois enrola o chiclete no dedo e põe de novo na boca. Parece até que não se ocupa de outra coisa na vida senão fazer bola de chiclete depois enrolar no dedo. Que trabalha nisso, que fatura com isso uma boa grana e assim é que compra todos esses trapos, todos esses cigarros russos. Podia se apresentar com todo esse bordel ambulante no *É de matar de rir*. Arleta diz que tenho titica na cabeça. Que eu não diga o que tô dizendo porque pode acontecer de verdade. Diz que isso já aconteceu com ela algumas vezes. Por exemplo na escola uma vez ela disse: "vá se finar" pra professora das matérias técnicas e depois parece que ela foi parar numa maternidade com risco de vida. E parece também que uma vez disse pra uma amiga na aula de educação física: "vai quebrar a perna", e a garota quebrou o mindinho de uma das mãos. Diz ainda que nunca fuma LM, porque não faz bem à saúde e é o mais cancerígeno dos cigarros. E parece que o destino espera e vigia se não se diz alguma coisa ruim numa hora negra. Se você diz, e justo numa hora negra, não tem perdão e acontece, e não tem volta atrás, não tem desculpa. É alguma coisa ligada com religião, talvez, com a vida paranormal, um tipo de coisa da vida paramental.

Mas o que a Arleta tem pra dizer sobre isso aí, vai me desculpar, não me interessa merda nenhuma. Onde é que a Magda foi com o Irek, é isso que tô perguntando, digo pra Arleta. Madrinha futrica. Vocês duas juntas vão ter um monte de filho ilegítimo, não vão deixar vocês entrarem nem no boteco mais arrebentado. Diga o que ele fez com ela, esse larápio. Afanou o coração puro dela, toda a delicadeza dela, os cabelos, acabou com a meia-calça, fez ela chorar. Feriu ela. E vou pegar ele pelo pescoço por isso, mas depois. Agora quero saber, Arleta.

Mas nisso do bolso no jeans dela sai o sinal correspondente e Arleta recebe uma mensagem de texto. Ela conversaria comigo numa boa se eu não fosse esse grosso, diz, e vai rápido pra algum lugar. Aí o Barman chega junto e diz que tem uma coisa pegando. Pergunto que coisa é essa que tá pegando. Aí ele vem dizendo que a Magda sempre foi meio histérica, meio histérica demais. Digo então mas e daí. E já tô ficando meio puto, porque não gosto quando alguma coisa acontece fora do riscado.

Aí então vem dizendo que teve alguma história com a Magda. Com história ou sem história, esse Barman também é um bom filho-da-puta, que em vez da Magda mesmo me dizer isso, ele vem dizer no lugar dela.

Nisso vou no banheiro, porque a Arleta tá me chamando, tá muito louca, fuma ao mesmo tempo dois cigarros mentolados, LM ainda por cima, segura os dois num cantinho da boca e com a outra mão segura a Magda. Fico um pouco sem jeito porque sei que a Magda me feriu, me prejudicou. Pergunto o que aconteceu. Ela diz que é cãibra. Digo que talvez seja do speed, speed demais. Arleta diz que vai deixar a gente sozinho então e fecha a porta por fora. Fico em pé. A Magda tá com cãibra na barriga da perna e fica sentada no vaso. Com a mão esquerda ela segura a batata da perna, ao mesmo tempo chorando e histerizando. Agora nem sei se é bonita ou se é feia, é difícil mesmo dizer. Uma coisa é certa, em geral é bonita, mas no momento não tá em boas condições no quesito aparência, porque pra todo lado tem essas lágrimas pretas dela, que vão escorrendo com o rímel que nem de uma goteira, a meia-calça tá toda rasgada, e aliás parece larga demais e a cara tá um bocado despencada, até me lembra, sem querer ser indelicado, aquela jamanta vermelha dos bombeiros. Fico então pensando se ainda sinto amor por ela, enquanto fica ali gemendo sem nem me olhar nos olhos e sem me falar nem uma palavra. Mas aí já quase que não me agüento.

Eu fiz alguma coisa errada, Magda? — pergunto pra ela e travo a fechadura. Eu fiz alguma coisa errada, a gente bem podia mais uma vez tentar começar tudo de novo. Você sempre pareceu feliz quando eu amava você, por que agora de repente você não me quer, é birra sua, eu chateei você? Você lembra quando deram uma batida em você no ponto, e você tava lá com o Masztal, foi com ele que você levou a batida, e você sabia que ele já era fichado por tráfico. Quem depois ficou de olho na sua caixa de correio, pra que não chegasse até seus pais a intimação da polícia enquanto você tava no estágio? Foi são José que ficou de olho? O Masztal foi lá uma vez que fosse dar uma olhada?

Eu não fui legal, diga você mesma? Florzinha, chocolatinho, toda aquela merdinha romântica.

Agora você não sabe o que dizer. Fica gemendo e vou dizer a você, isso é um papelão, porque você agora não tá com nada, é que nem uma criança fazendo esse papelão. Fica olhando esse azulejo marrom que tantas vezes viu a gente, quando a gente tava tão perto um do outro quanto uma garota ou uma mulher pode estar de um homem. Esse azulejo ainda tá arrotando a gente, o que quer que tenha acontecido antes, é só isso que vou dizer pra você.

Seu nome é bonito, Magda, e o seu rosto também. Suas mãos são bonitas, seus dedos, suas unhas, a gente não pode continuar junto? Se você quiser, levo você embora daqui pra onde você quiser. Talvez até pro hospital, se for absolutamente necessário. Você tá perguntando se bebi, é, bebi mesmo, mas ninguém tem nada a ver com isso se bebi ou não. Vambora, a gente entra no carro e vai embora, levo você pra qualquer lugar, mesmo que dez mil russos queiram pegar a gente para medir o teor de álcool e de narcóticos. Você diz pra eu não fugir da porra do assunto, da questão principal. Diz que deve ser cãibra na batata da perna, que fez um teste e que é bem possível que esteja grávida, apesar de não ter muita certeza disso. Diz que por isso sua covardia, por isso você não quis continuar comigo, porque sabia que eu ia ficar bravo. Me diga, quando foi que fiquei bravo com você por mais de um dia? Se você vai ter um filho, e pode ser até que o filho seja meu, é só ir no médico e ter cem por cento de certeza. Mas agora vamos. Pego a Magda pela mão e ela começa a berrar que nem uma doida, berrar pra valer mesmo, e olha que até um minuto atrás tava tão quietinha e mansinha que parecia dormir. Na hora Arleta chega correndo com um balão saindo da boca, quer saber de tudo, o que tá rolando, e a cãibra, e se a Magda não quer alguma ajuda dela, água, panadol. Digo pra Arleta ir se foder, e o mesmo pro Barman, que fica olhando como se nem se ligasse no negócio. Os outros também ficam olhando feito babacas, o Esquerdo, o Kacper, o Kisiel também com uma fulana que nem conheço, deve ser nova e é até gostosinha, música alta, maior casa-de-mãe-joana. A Arleta me manda uma mensagem de texto, é provável que seja falta de permanganato ou potássio no sangue por causa da alimentação. Mando uma de volta pra ela, que se foda, eu escreveria mais, mas meu celular tá descarregado e só o que consigo é isso: vá se foder arle. Eu escreveria mais, pra que se mandasse com esse mau agouro dela, esse vodu, porque é muito provável que ela com essa porra de papo paranormal, com esses feitiços na professora de geografia, tenha feito que a Magda ficasse com uma cãibra tão doída.

Aí então a gente sai e enfio a Magda no primeiro táxi, depois entro também, ela diz pro hospital e o motorista, aconteceu alguma coisa? Pergunto se aquilo é entrevista pra algum jornal ou um táxi, se aquilo é confissão dos pecados e absolvição ou se vai levar a gente, porque senão saio do carro, a Magda comigo, zero no caixa e ainda por cima uma pedra no vidro da frente, e pode não aparecer mais na cidade. Ele fica calado um momento e depois desconversa, parece que tão guerreando os russos sob a bandeira branca e vermelha. Digo é, parece, mas a gente não é tão radical assim nesses assuntos. A Magda diz que é mais contra os russos que a favor. Aí fico puto e digo: e como é que você sabe que é mesmo contra? O rádio tá ligado, toca notícia, música. Ela diz que é o que pensa. Digo que se encheu de speed e agora arranjou altos pensamentos, altas idéias, como é que sabe que pensa mesmo isso e não outra coisa? Ela fica com um pouco de medo. Digo pra não encher meu saco, pra não torrar minha paciência. Começa a gemer, a cãibra não parou.

Depois se arrasta sozinha, diz pra não encostar nela. Tá mancando. Diz que sou tão bruto que se encostar nela vai matar nosso filho e ela mesma. Porque vai se estourar inteira e aí nosso filho morre. Tô um bocado nervoso. Na recepção encontra a gente o chefe da seção ou o ortopeda, já nem sei, porque tô com medo que tirem sangue dela, aí, além da falta de potássio, vai aparecer lá a onda dela com o speed, porque tá mais cheia de speed que uma porca, e o negócio lá do pó e aí vão tomar dela a criança. Mas o problema mesmo é essa perna, porque a cãibra é forte e tá se espalhando. O ortopeda diz pra eu sair enquanto faz o exame, o que me deixa muito puto, porque bem ou mal é minha mulher ou não é? Olho direto bem no centro do olho dele, bem no branco do olho cheio de filetinho de sangue, pra que saiba qual é e pra que não venha com nenhuma graça ortopédica. A Magda me implora com o olhar pra que eu fique tranqüilo, aí me acalmo bastante. O mais provável é que seja a falta de potássio no músculo a causa da dor. Então fico esperando, tranqüilo, apesar da vontade que me dá de foder com esse hospital inteirinho. Por causa desse ortopederasta e dos outros sacanas que batem ponto aqui, por causa desses principezinhos engomados de vareta na mão, de auscultador no pescoço, porque quando é caso de manifestar opinião sou quase sempre de esquerda.

Não concordo muito com essa história de impostos e postulo mesmo um Estado sem impostos, onde os meus pais não vão precisar moer as tripas pra que todos esses principezinhos de avental tenham casa própria e linha de telefone, enquanto o buraco é mais embaixo. Aliás já disse que a situação econômica do país tá categoricamente mal, ostentação no governo e assim de modo geral um poder fraco. Mas a gente tá desviando do assunto, e o assunto é que a Magda tá justamente saindo do consultório. Ainda manca. Mas penteada. Pro caralho quem penteou ela. Já não vou me meter nisso, porque essa noite tá pelas tampas de stress. Pede pra levar ela pra praia. Pergunto como é que quer ir pra praia com essa gangrena na perna. Responde que porra quer ir indo, normal. Depois, como não tem uma viva alma nos corredores do hospital, passa a mão numas muletas.

"Melhor nem perguntar".

Digo que isso não é hora pra praia. Ela, que a hora não podia ser melhor, e que quer ir só comigo, porque é meu o sentimento dela, é por mim que ela sente. Digo que ela tá com alguma merda no cérebro, mas assim de um modo geral me deixa amolecido a idéia de que me ama e reconhece isso sem nem uma sombra de falsidade.

Diz que tá com um pressentimento, um impulso até, meio que interno, de que logo vai morrer, de que já tá na hora dela. Essa criança em mim tá me matando, é o que diz a Magda, o sistema dentário dela teve desenvolvimento precoce e faz que ela fique me mordendo por dentro, me mordiscando o estômago e depois o fígado. Diz que já é o fim dela, que o efeito e ao mesmo tempo o estigma disso é essa perna com cãibra, o que significa que a criança já tá puxando os fios dela por dentro. Tá destruindo ela por dentro, e também a psique dela, arrasando simplesmente, destruição, desintegração. Sinto dor, porque é provável que eu também tenha alguma participação nessa criança, e fico com uma pena danada dessa garota por ter dado no que deu, pela criança ter se desenvolvido assim nela. Vejo como tá sofrendo, isso sem nem falar nessas muletas, que em princípio tinham que ajudar, mas por causa delas a coitada cansa ainda mais, porque tá com uns sapatos de salto que dificultam ela andar normalmente. Quer dizer que, em resumo, a gente vai pra praia. A Magda tá empreendedora que só nesse negócio, devia ganhar dinheiro com isso, com uma firma que fosse pra praia, vendesse passagens, cuidasse de todas as operações que fazem as pessoas desistirem da proverbial idinha à praia. Mesmo mancando, mesmo assim. Digo em suma que já tá tarde. Ela diz: mas e daí que tá tarde. Será que sou tão besta que penso que vão me fechar a praia se eu me atrasar? Que não vai sobrar praia pra mim? Respondo que não vou mais falar sobre esse assunto com ela. Porque se vai se comportar feito um cavalo, mesmo a gente tendo vindo junto pro hospital, mesmo tendo passado junto muitos momentos piores ou melhores, se ela vai se comportar desse jeito, então valeu, pode pegar minha passagem e viajar os quilômetros que seriam pra mim também. Melhor aliás ficar por lá mesmo, porque era aquele o único lugar certo pra ela. A Magda diz pra eu sair da cola porque tá sonhando com outra coisa e que é pra eu decidir se vou com ela ou na frente dela, porque assim com essa deficiência não consegue andar tão rápido.

Pergunto pra ela de onde tinha essa mercadoria, porque pelo rosto e pelo aspecto geral tá meio avermelhada, doente, sinceramente parece até que pariu a tal criança, só que perdeu em algum lugar e agora tá procurando pela estação. Ela diz que é melhor nem perguntar, porque é do Wargas. Digo que a mercadoria é ruim, mexida, misturada. Diz que é foderosa. Digo pra não me irritar, que não, que é uma bosta de mercadoria. Ela diz que caralho eu só fico magoando ela. Digo que então tá, que se quiser se abastecer com o Wargas caminho livre, que sapólio pra limpar banheira ela vai ter sempre, mas se a criança nascer um monstrengo, uma perna maior, outra menor e falta genética de cabelo, não tive nem um dedo a ver com essa história. Aí ela responde que então tá, que se eu estiver a fim a gente logo se convence. E assim que o trem chega, assim que a gente entra, ela pega mesmo um jornalzinho do Hit e me faz uma carreirinha junto da janela.

E quando acordo na praia, só o que lembro daquele tempo em que ainda associava os fatos uns com os outros sou eu dando uma cheirada com uma caneta onde tá escrito Zdzisław Sztorm, Usina de Areia, rua 12 de Março número tanto. Imaginando aquela areia produzida por tecnologias modernas, processada modernamente, embalada modernamente em sacas, entregue modernamente pra distribuição manual e ativa. Lembro meus pensamentos de caráter puramente econômico, que podiam mesmo salvar o país do extermínio, extermínio aliás que já mencionei, que tão preparando pro país aqueles putos daqueles aristocratas de sobretudo, de avental, que, se fossem dadas a eles as condições pra isso, iam vender a gente, nós, cidadãos, pros bordéis do Ocidente, pra Bundeswehr, pro tráfico de órgãos, de escravos. Que querem enfim vender nosso país feito um brechó fuleiro qualquer, um monte de trapo e casaco antigo marca Mińsk Mazowiecki, cinto velho cortado, porque no meu entender o único remédio aqui é enxotar eles das casas, dos blocos, e fazer da nossa pátria uma pátria tipicamente agrícola, que produz, mesmo que seja pra export, a simples areia polonesa, que tem chance nos mercados mundiais em toda a Europa. Essas são as minhas idéias de natureza esquerdista, que me fazem pensar que era preciso construir uma rede de captação de detrito nos blocos, pra que os agricultores, porque é exatamente com os agricultores na minha opinião que o país tem que contar, pudessem jogar fora mais produtos da lavoura morando nos blocos, é disso mesmo que se trata, que dessa maneira a vida deles fique mais mecanizada, é isso, melhor.

E quando acordo agora me lembro bem, porque podia dizer cada palavra que pensei, mas quando acordo agora a Magda não tá por perto, se bem que pode não estar ainda ou não estar e ponto. Levanto do chão que a essa hora da noite tá frio e dou umas batidas no jeans, umas batidas na jaqueta. A Magda não tá aqui e percebo isso na hora, na hora fico puto, mesmo depois de uma avaliação que mostra que ainda tenho minha carteira, o que é vital nesse assunto, e também meus documentos. Não sei bem o que aconteceu quando a minha visão de índole econômica já tinha desvanecido, quando eu tava fazendo alguma coisa antes de acordar aqui. É pior que, com o perdão pela palavra, filme interrompido. Vejo um monte de areia, o que na minha opinião é um esbanjamento verdadeiramente antieconômico, o que, sinto afirmar, me deixa puto da vida. Doença terrível essa de ficar puto. Quando vou andando então e acho um saquinho de papel-alumínio mais que depressa encho ele de areia. Depois torço e guardo, porque caso falte dinheiro vivo, caso quebre o mercado, isso pode vir a ser um fato precioso, uma vantagem até. Depois acho ainda duas sacolas do Hit, coisa que também me dói no coração, essa falta de qualquer economia que seja num país onde duas sacolas ainda em perfeitas condições são largadas no chão e abandonadas ao desperdício. E antes de mais nada à sanha do lumpemproletariado. Assim então, depois de uma promessa solene de que a Magda com certeza daqui a pouco chega, porque por exemplo ela pode ter ido só fazer xixi, vou catar areia. Na minha opinião é preciso pegar toda a areia o mais rápido possível. Porque se ela não vem parar nas nossas mãos é o fim. Vai ser raspada até o último grão pelos traidores.

Então fico desse jeito meditando. Começo até, o que é raro, a anotar meus vários pensamentos, meus cálculos no chão. Infelizmente, escrevo rápido. E a conseqüência disso é que as letras e cifras são na verdade pouco nítidas. Mas pro caralho com isso, porque nalgum lugar ali perto, que tá completamente escuro, ouço a Magda, que ao que tudo indica tá rindo de alguma coisa. Fico pensando o que tem de engraçado nisso. Não nisso, mas o que que tem de engraçado afinal. Aí vejo ela, se bem que parece não estar sozinha, mas com alguém. Tá com uns caras, ainda por cima dois. O que me inclina à interação. À reação. Porque seja lá o que aconteceu de ruim entre a gente, o amor dela, até onde me lembro, é meu, e o corpo dela também é meu. Por isso não tô entendendo aonde ela vai assim toda alegrinha. Vai rebolando a bundinha. Toda doce. A perna não tá mancando. Modelo, atriz e cantora em uma só. Dada que só. Anunciando meia-calça furada, comprem meia-calça furada, é a que tá mais na moda nas últimas tendências. E sem falta muleta debaixo do braço, sem falta surrupiada do hospital.

Que é isso, sua puta? — digo pra ela, porque essa situação surgida de repente me tirou por completo do juízo. E ela diz o seguinte pros sujeitos: é este aqui ó meu irmãozinho deficiente psicofisiológico. Como é que você tá, hein? — pergunta pra mim. Tá escrevendo na areia, muito bem. Ainda tenho alguns assuntos pra tratar com esses senhores, por isso vou deixar aqui as muletas, se quiser voltar pra casa ou então ir pra qualquer lugar apóie a muleta assim no chão que vai ser mais fácil.

Fico parado um momento com meu graveto na mão e um dos sujeitos, pela cara um tremendo depravado e pervertido disfarçado, casaco de couro preto e suéter de listras, diz: aí, Magda, você não parece nem um pouco com ele, apesar de ser irmã. E ela depois dessa diz: é. É a vida. Mas a gente tem o mesmo sobrenome. Então diz pra mim: Forte, escute aqui, como é seu nome?

Vermski, Andrzej — respondo de acordo com as minhas convicções. E a ordinária diz com a maior esperteza: isso mesmo! Meu sobrenome é esse mesmo. Vermska.

Por enquanto ainda tô calado. O outro sujeito chega mais perto, é um tipo mais esportivo de moletom e diz: olhem, ele escreveu alguma coisa aqui. Aí ficam todos em volta do que escrevi, feito quase um ministério da educação e do esporte, e tentam ler. Como já mencionei um pouco antes, são umas letras pouco nítidas, uns sinais meio assim abstratos, pra não dizer: inexistentes. É porque ele não é muito normal — diz a Magda. É por isso que a letra dele é assim. É letra de psíquico, aquele negócio de down.

Já querem ir. A Magda já tá perto de dar um tchau-tchau e de sumir no abismo, de sumir na estrada com esses dois vagabundos. Comissão trimembre de políticas educacionais e esportivas, esse veadinho aveadado do negócio da educação e da letra, e a Magda com esse de moletom só fazendo esporte, esporte que é uma beleza, tô vendo muito bem.

Digo o seguinte: venha aqui um minutinho, sua catraia. Venha, não precisa ter medo de mim, não vou foder com você não. Porque com o choque, com esse choque produzido nas minhas idéias, nos meus sentimentos, fiquei completamente desamparado. Completamente sem forças. Não sou por natureza lá muito delicado, digo mesmo francamente que no passado, que nem foi há tanto tempo ainda, fui bastante impulsivo, o que aliás deixou seus estigmas na minha relação com a Magda. Sempre disposto, sempre pronto pra fazer um solo. Mas esse desgosto, essa ferida aberta em mim tão sem culpa da minha parte. Isso de repente me fez ficar delicado, suave. Porque é mais uma injustiça cometida contra mim, contra uma vítima.

Então digo: venha aqui. Quero falar com você um momentinho. Vejo a incerteza nela. Hesita, por assim dizer tá com medo. Sabe o que fez, sabe que tudo entre a gente agora vai ser diferente, aí dá uma balançada no traseiro, ajeita o vestido, olha uma vez pra direita, outra pra esquerda, outra pra frente. Olha pra todo lado, mas principalmente pra lá e pra cá. Será que é tão idiota, meus nervos tão derrubados, tô destruído por causa dela, tô com a psique e os nervos agonizando.

Os dois caras olham pra mim. Têm até uma certa pena, mas já querem ir. A Magda olha praquele de moletom uma vez, e outra praquele veado, que — como depois fiquei sabendo — tem o apelido de Jaskół.

Até que enfim levantou a bunda do chão, diz depois de apontar pra mim, depois diz bem rápido: vambora daqui, praqueles dois, é claro.

Agora emputeço que não é brincadeira. Agora já não tem me perdoe, nada de Forte boa alma, coroinha na igreja ajudando a missa, mansidão, bom coração. Bom querido Forte que vai fazer boas ações pelos outros, que nem no estágio. Forte passando vergonha com gerente de loja por causa de uns trapos roubados e ainda por cima de mau gosto, de um total mau gosto. Porque com o Forte o negócio é esse, você quer, rompe com ele, depois cãibra na batata da perna, aí tututu, um telefonema, Forte a postos lambendo o chão debaixo dos seus pés pra você andar no limpinho. O Forte vira presunto por você na guerra Polônia-Rússia, defendendo você de um golpe com um estandarte, com uma bandeira branca e vermelha. Mesmo que todas as suas amigas queiram descer o pau em você com ela por todos esses seus delitos nem um pouco mesmo morais. Mas o Forte se levanta e protege você. Não tem me perdoe, garota, agora, olhando pra você, sei que meu amor por você foi no fundo um erro.

E que por esse insulto vulgar que recebi agora você vai ter que pagar caro.

Agora tô decidido a não ter mais esse sentimento que você despertou em mim quando vi você pela primeira vez no carro do Lolo. Agora tô largando o bastão, mesmo que um momento atrás eu tenha anotado no chão com ele planos pro nosso futuro, quantos filhos a gente ia ter, as despesas com casa, lavanderia, as despesas com casamento, enterros, tudo pra um futuro em comum. Agora com um gesto consigo riscar, apagar isso. Agora me aproximo bem perto de você, pego em minha mão seus cabelos que um dia amei tanto, apesar de agora não sentir nada sobre esse assunto. Enrolo eles em volta do meu punho. Agora tô calmo, com aquela calma, se posso definir assim, de funcionário de matadouro, de profissional em abate de aves.

Digo isso, mas tô com o corpo todo tremendo, não de medo, mas de mágoa: senhores, a parada é a seguinte. Essa é minha mulher. Se encheu tanto de speed, que não vai servir pra nada. Não sou retardado nem anormal. Vou levar ela agora. E pra vocês, moçada — na paz do Forte, valeu por terem trazido ela aqui, essa ordinária, que agora mesmo vai levar o dela pelas suas sacanagens.

Sorrio na alma. Porque isso humilhou eles de verdade, surpreendeu. Esse meu controle, essa minha tristeza controlada. Isso deixou eles completamente surpresos, admirados até. O veado paraeducacional ainda resmunga alguma coisa, o de moletom também. E puxei ela pelo cabelo, full cultura, tranqüilo, sem barraco, sem sif. Eles ficaram lá do jeito que ficaram, a Magda de focinho calado feito um rato, vou tranqüilo, frio, arrastando ela atrás de mim. Aí aqueles dois ainda meio que sussurram alguma coisa, murmuram, cochicham. Isso me emputece também. Me viro com violência e digo: qual é, porra, revolta no presídio estadual?

Aí se calam também de supetão e os dois respondem: na paz.

Fiquei comovido, amoleci. Porque apesar de tudo, diante da mais pura patifaria, do mais puro ódio pelo outro, da trapaça, do mal, os seres humanos conseguem no entanto manter a solidariedade, lutar com solidariedade contra tudo. Essas são também minhas idéias, mas me esforço pra não falar delas muito alto. Mas são essas aí as minhas opiniões nessa questão: respeito pelo ser humano, consideração ombro a ombro, porque não é culpa dele que dessa forma, que justo dessa maneira tenha nascido. Seja lá o que for, mas nos velhos tempos eu tinha um forte sentimento de caráter religioso, sacral. E isso continuou em mim, ainda no dia de hoje isso tá dentro de mim, esse sentimento que nutro por Nossa Senhora de Fátima e até por Deus mesmo inclusive.

Moçada! — chamo, porque já tô cada vez mais longe com a Magda. Quando vocês forem na cidade perguntem pelo Forte. Tá tendo uma guerra Polônia-Rússia na cidade. Se alguém, alguma coisa, alguma fumaça, perguntem por mim, moçada.

Eles olham pra gente num choque ainda maior. Mas enquanto isso dizem de novo pela última vez: na paz, Forte, porque mesmo estando longe consigo ler os lábios deles.

Assim então acertei as contas com eles em condições e resoluções bastante pacíficas. Agora tá na hora de dançar uma polonaise com a Magda. Sento ela na mureta na praia. Tá com a dor estampada na cara, na boca, porque seguro ela com uma força danada por esse pixaim tingido.

É difícil pra mim neste dado instante dizer ao certo se é bonita ou atraente. Um olho completamente borrado. Uma franja no vestido arrebentada, presa com alfinete. O estado dela tá mais pra ruim, os dentes tão batendo por causa da anfa, que ela anda exagerando. Se alguém propusesse pra ela, se legalizasse o cultivo de anfa no cafofo dela, faça o favor, ganhava até beijinho. Na mão, na boca e nas bochechas. Mesmo que tivesse que ser à custa dela, dos velhos dela, dos vizinhos e dos chegados todos dela.

Primeira coisa — digo pra ela, porque tá se torcendo de dor talvez, ou talvez também de vergonha, de sentimento de culpa — cadê sua gangrena na perna?

Fica calada. Grunhe alguma coisa. Diz assim: e o que você tá pensando? Que até o fim da vida vou ficar andando manca, paralítica? Isso bem que ia ser conveniente pra você, eu tô sabendo. Mas não vai ser assim não.

Falo assim porque meus nervos de novo vão saindo do controle. Aos meus olhos, Magda, você é, no espírito. Paralítica, mas no espírito. Nos sentimentos.

E mais — digo pra ela ainda assim: ou você tem essa perna manca, ou não. Não existe a possibilidade numa vida honesta, apolítica, de que pra mim essa perna tá manca, exigindo até operação do cirurgião-chefe, mas logo em seguida praqueles senhores lá ela tá saudável e caminhando. Niet essa possibilidade. Ou de um jeito ou de outro, uma coisa eu vou dizer pra você Magda bem nos olhos, que assim você pode se inscrever na câmara e no senado e ir tecendo lá a teia das suas mentiras, das suas calúnias, porque é só praquilo lá que você presta.

Tô tranqüilo, tô que nem uma rocha. Ela começa a chorar, e o visual não é bem de show, é pouco televisivo. Acendo um cigarro, preciso frisar que nos últimos anos caí nesse vício tão desagradável. Mas essa é minha expressão de protesto, minha expressão de resistência contra o Ocidente, contra os dietetas americanos, as operações plásticas americanas, os bandidos americanos, que são muito gentis, mas às escondidas traem o nosso país. Uma vez já disse pra Magda numa conversa assim de caráter amistoso que quando eu for pra América vou fumar bem no meio da rua, mesmo que isso lá não seja quase nunca de bom-tom, porque o Ocidente inteiro vai parando de fumar.

Ela nesse meio-tempo diz com uma voz toda sonhadora, o que eu estranho um bocado: ah, Forte, eu queria ir embora daqui. Passar na lábia presidentes, carinhas com mestrado, todos esses ortobichinhas forrados na nota, queria embolsar alguma grana. Ir embora. Com alguém que amo. Com você até talvez. Talvez até com você mais do que com ninguém, Forte, porque junto de você fico tão segura. Esse país não tem futuro, nosso amor não tem chance aqui, pra onde quer que você olhe violência, guerra, essa mesmo Polônia-Rússia que tá acontecendo na cidade, você não pode dar um passo sem topar com esses russos sacanas.

Mastros por toda parte, por toda parte bandeiras em branco e vermelho. Só o que quero é seu sentimento e a cada passo posso ser atingida ou até morta. Por qualquer um. O homem é o lobo do homem. O amigo é o traidor.

Já é tarde, bem tarde da noite, o mar e a praia. Nem uma viva alma, porque aqueles dois há muito tempo enfiaram o rabo entre as pernas e sumiram que nem cânfora, como se nunca tivessem existido. Apesar disso não posso assim sem mais nem menos deixar pra lá o insulto que recebi. Não posso suportar isso assim sem mais nem menos. Porque vamos e venhamos, mas aquilo foi uma sacanagem da parte dela, mesmo que agora esteja aí toda sensível e carinhosa, sonhadora.

Não fale assim, Magda, porque mesmo assim não vou escutar você. Não quero mais você. Nem escutar, nem nada. Porque nas suas palavras só tem mentira, só o veneno da falsidade. Que eu não agüento mais. Hoje mesmo você tinha me enxotado, desconsiderando a marcação do tempo. Porque segundo as regras do relógio na verdade isso aconteceu ontem. Mas assim ou assado você enxotou meus sentimentos. Depois diz que não é bem isso, que tá com cãibra na batata da perna, que tá esperando um filho. Afirma que a criança tá matando você, me acusa, diz que ela é minha. Depois me larga na praia pra um óbito certo, se manda embora com uns figurinhas. A cãibra na batata da perna de repente some. A criança também. Mobilização total. Que nem peixe, quando sente o sangue alheio. Sobre mim afirma bem alto, feito Judas, que sou um mental. E, não negue não, esses são os feitos que você praticou. E agora mesmo enfatizando de novo seu amor por mim, eu, Forte, digo a você que entre a gente tá acabado.

É, é o que eu digo. Sem frescura, sem grandes lamentações, sem merda nenhuma de lágrimas, de sentimentos. Porque nesse caso aí da Magda, não tem um pingo de chance de compreensão. Essa aempatia dela me estarrece, me destrói. A Magda no maior choro, e vai avançando, vai piorando. Diz que na vida toda ninguém tinha feito ainda uma injustiça assim pra ela que nem eu com a minha brutalidade, minha secura, minha carapaça mental e afetiva. Essa casca, essa crosta que me cobre. Diz que aqueles dois queriam simplesmente matar ela feito um cachorro e teriam me matado também. Porque se não dissesse pra eles que eu era mentalmente anormal teriam fodido comigo também. Tinham pistolas, espingarda de ar comprimido, facas de caça, um monte de armas. Tudo debaixo do casaco, mostraram pra ela. Precisou fingir que eu era irmão dela, que eu tinha titica na cabeça, porque queria me afastar da morte certa.

Porque tô no limite da resistência, do choque e de uma coisa ainda que nem sei como chamar. Porque isso que tô ouvindo já é forçação, é exagero, é pura trapaça ética, que a longo prazo não dá pra suportar. A Magda se aproveita do meu instante de silêncio entre a gente. Vai tocando um monólogo em torno da bondade dela, do sacrifício, e fica de repente conversadeira que só, feito uma prostituta mental, uma dama de companhia mental. Digo o seguinte: escute aqui, Magda. Continua fugindo do assunto. Eu nessa desse jeito: você tá com cãibra na batata da perna ou não tá?

Ela depois dessa o seguinte, mesmo falando com uma óbvia lentidão, porque a anfetamina causa um impacto no osso maxilar e ele treme descontroladamente na cara dela: se tô ou não tô, já não é problema seu, porque tô caindo fora, tô me mandando, tô pegando minha bolsa de tiras de couro e me escafedendo daqui, porque esses animais desses homens sem o mínimo de educação nunca me interessaram, nunca tive por eles nenhum sentimento, o que me interessa é cultura e arte, certa delicadeza no trato, o amor verdadeiro pra todos os séculos, o verdadeiro carinho que pode existir entre duas pessoas de ambos os sexos. Não me interessam merda nenhuma esses seus interesses lésbicos, mesmo que você sempre ache que lésbicas atiçam você, eu vou dizer uma coisa, você é um sacana ordinário que nem todos os outros e só interessa a você uma coisa, ainda por cima de um jeito tipicamente depravado, e você sabe que isso não me interessa, que me enche de nojo uma coisa dessa. E talvez até você seja no fundo gay, o que eu não posso provar pra você, porque prova dessas coisas é sempre difícil, mas posso dizer isso pra você bem nos olhos, porque é isso mesmo que penso quando o tema é você. E agora vou dizer isso: eu odeio você, porque você é simplório, superficial. Não se interessa por quadros, revistas, cinema, e sempre gostei disso, apesar de não ter tido ocasião pra mostrar, e o que é pior até, vou dizer pra você, eu tinha medo de expor isso, porque você podia me responder negativamente, que não. Vou dizer pra você, não me interessa amor desse jeito que você quer fazer, por isso o tema da nossa conversa sempre foi frágil, se interrompia. Porque minha visão de mundo consiste em muitos por cento na libertação das mulheres do jugo imposto a elas, na extinção do feudalismo nesse aspecto, nessa questão. Vou dizer pra você que chega e que eu ergo este punho contra essas pessoas que nem você, que só querem saber de homenagem prussiana aos pés delas. Se isso ainda continuasse assim eu perderia até a última gota minha personalidade, minha dimensão pessoal, individualista, meu jeito de me comportar, minhas idéias, que eu ia depor diante de você em tributo de servidão. Vou dizer uma coisa pra você, mesmo que seja lá o que for e a vida se transforme num pesadelo ao seu lado, aquele sentimento morreu em mim já desde ontem e vou dizer pra você que naquela hora eu olhei pro Esquerdo, que ele com certeza é melhor que você, mais carinhoso, que quando eu tava com ele o mundo inteiro me parecia carregado de profundidade, de sofrimento, mas foi justamente por esse viés existencialista no comportamento dele que senti que na vida o importante mesmo é sabedoria, leitura, conhecimento de informática. Que se estende diante de mim um futuro mecanizado, computadorizado, curso de xerox básico, curso de inglês básico, viagens pro exterior. E aí então aparece você na minha vida através do Lolo, se bem que com ele até que fui mais feliz, mesmo ele sendo um homem ríspido, rígido, que não permite à gente ter voz, ter opinião. A sua presença destruiu tudo em mim, cada vontade que vinha do meu interior. No fim nem sei por que fiquei com você, porque na verdade desde o começo era ruim entre a gente, muita tensão, paranóia e mesmo que eu não diga nunca o que o Esquerdo me revelou daquela vez, ele me revelou que você é um puto ordinário sem educação, que não faz nem idéia do que seja uma garota, é provável até que eu seja pra você sua primeira iniciação logo depois da Arleta, que é minha amiga, mesmo que você não admita isso porque a sua principal característica mais importante é a hipocrisia. Ele me revelou que nunca ia permitir que eu ficasse com você, porque nunca na vida aconteceu de você usar as quatro palavras mágicas, por favor, obrigado, desculpe, de você abrir a porta na frente de uma garota. Ou pelo menos a tal perspectiva simbólica que se diz.

O que você disse? — pergunto, porque das minhas tripas sai de repente uma voz estridente, eu quase diria: feminina. É efeito do sentimento de raiva que me inundou de um só golpe feito um oceano, e encobriu todos os meus estímulos racionais, todos os meus princípios racionais. E percebo que não quero que ela responda a essa pergunta. Quero matar ela, só agora vejo que é essa a impressão que tenho com relação a essa noite toda.

A Magda, e como eu odeio esse nome, como eu queria riscar pra lá e pra cá cada uma das letras dele, fica com medo por causa do que acabou de dizer. Tá com o cu na mão por causa do que me aprontou. Tá com uma cara de quem daqui a um pouquinho vai ser jogado na merda. Contraída, encolhida, a cabeça côncava, a perna retraída.

Eu não disse isso — ela diz bem rápido, cobrindo com as mãos a cabeça vazia até a lona — foi o Esquerdo que disse.

Que Esquerdo, que porra de Esquerdo, se foi você que acabou de dizer, sua vadia, aqui e agora e sou testemunha direta disso que você acabou de falar com a sua própria boca? — digo, e em conseqüência da longa carreirinha do pó usado anteriormente tá difícil pra mim esse papo com a trepidação do maxilar.

Foi o Esquerdo sim que disse, não eu. Mas o Esquerdo também não dá pra tratar a sério. Sabe como ele é. Não é normal, por isso mesmo aliás acabou qualquer brincadeira entre a gente. Especialmente por causa daquele tique no olho dele. Toda vez que eu olhava tava com tique. Os dentes sem o menor sentido, em vez de arrumados em fileira como em qualquer cara normal, tudo diferente, de qualquer jeito. Isso também me dava nojo quando a gente se beijava. Mas especialmente mesmo o tique, ela diz.

Quanto ao Esquerdo a gente ainda se acerta, penso. Assim que a gente voltar pra cidade, vai ser na hora. É o que fico pensando lá no fundo da alma. A guerra Polônia-Rússia não tem a menor chance. Estandartes, bandeiras não vão ajudar nada, pedir, implorar, perdão, Forte. Não vão servir de nada nessa cruzada que vai acontecer entre a gente. De um lado eu, do outro o Esquerdo. De um lado o Forte contra o merda do Capitão Olho com suas idéias de duas caras sobre o mundo.

E agora chega de peninha, chega de piedade, de escrúpulo que até agora me engrupiu. Agora vai acontecer aqui uma carnificina das boas, agora já passa das dez, agora fechem os olhos, crianças, e quem é fraco dos nervos.

Me dê aí a perna — digo pra Magda, porque já tô cheio até o buraco do nariz dessa merda toda tirada de jornal, de manual lido no escuro. Algum manual fodido na idéia de feminismo fajuto. Chega. Chega de bondade, delicadeza. Ela nisso: me deixe em paz, seu aloprado, que que você quer fazer. Me dê aí a perna, não enrole — digo com voz grossa, sendo tão cruel como nunca me aconteceu nos meus piores solos, diante dos piores adversários direto no anabol, direto na coca. Essa não, essa com cãibra, essa em que você tinha uma falta letal de potássio e policromo. Ela com isso começa a se contorcer e gemer dizendo: como você quiser, se você me soltar vou dizer tudo. Qual foi a verdade com essa perna. É só me soltar. A solidão tá fazendo mal pra sua cabeça. A anfa tá fazendo mal pra sua cabeça. Você virou um safado cheio de speed, cheio de pó. Jakub Szela. Vampiro de merda de Zagłębie.

Chega de você, Magda. Já não me interessa. Isso que você tá dizendo agora. É simplesmente sem sentido, teor zero de sentido, porque você inteira desde dentro é sem sentido, sua literatura e sua educação, suas enrolações pró-feministas, suas sacadas de belas-artes, de tudo isso já tô cheio. Você já não me pega, já não me embroma com nada, porque conheço a verdade sobre você, sobre todos esses seus trastes pró-libertários, sobre todo esse bordel paramental que, vai me desculpar, você mantém junto com aquele satã que é a Arleta. Me dê aí a perna porque não respondo pela minha raiva. Que é grande e só vai ficar ainda maior. Me dê aí a perna. Tá perguntando se caso me dê a perna vou dizer pra você o que quero fazer? Então vou dizer pra você, então se prepare. Melhor aliás fechar os olhos, tapar os ouvidos, porque vai voar palavrão. E me dê aí essa perna, sem nenhuma tapeação, sem nenhum numerozinho, ajeite aí essa calcinha pra não incomodar e se prepare pra uma morte rápida. Mas antes, antes da morte nos últimos momentos dessa bosta de vida, olhe aí como o mar tá bonito na noite de hoje, como fica lá maneiro só marulhando, à esquerda e à direita, pra frente e pra trás. Porque depois você já não vai mais ver isso, a não ser no inferno. Isso é claro se a graça da sua Arletinha quiser mandar um cartão de Jastarnia pro caldeirão com você dentro, com os melhores votos de uma feliz estada, porque ela tá se divertindo à beça e conheceu um businessman de uns catorze anos simpático e sem filho. Veja só quanta coisa você podia fazer e entenda. Tá perguntando o que quero fazer com essa perna, diz que só nada de muito dolorido demais? Mas vou dizer pra você uma coisa, é melhor calar o bico, é melhor dar mais uma cafungada se sobrou alguma mercadoria, e se não, então faça não sei o quê, encaçape aí essa boa areia polonesa no nariz, porque vai doer mesmo o que vou fazer com você. Porque vou matar você, não sei se você tá sabendo. Quer dizer, vou mesmo é cortar essa sua perna na última moda de meia-calça, o que no seu caso equivale à morte. É o que eu penso. E mesmo que você não morra depois do parto, na assim chamada hemorragia, de qualquer maneira você já era. Não vai ter como dar, a bundinha vai ficar toda seca depois disso, o que pra você também equivale à morte. Suas muletas é claro que vou deixar. A uns três metros daqui, e vou largar você assim, só olhando você se arrastar, rastejar até a porra da morte que nem uma planta marinha.

É o que digo pra ela, pra essa idiota da Magda. E nisso ela na maior risada. Chega a guinchar de tanto rir, diz pra eu não encher a paciência que ela tá com cócegas e ainda por cima com cólica, e aí ela fica atacada dos nervos, fica mais inclinada a se irritar. Depois de repente se contém e diz assim: Forte, você não tá dizendo isso a sério, né? Pra que essa faca com você, esse canivete aí, hein? Você pirou de vez? Isso de você ser tão violento, isso sempre me impressionou em você. Mas essa faca de descascar batata, guarde isso com você, tira de perto de mim, porque sou muito sensível quando o tema é sangue, mesmo se for o meu. Você afanou essa merda da gaveta da mamãezinha? Você quer me fatiar? Você é um pervertido? Quer me inventar aqui um campeonato de melhor açougueiro com carne de gente viva? Você afinal é legal ou não é, é meu amigo no fim das contas ou é algum gay? Se você quer se divertir desse jeito porque isso liga você, então vá nessa sozinho ou então vá pra guerra Polônia-Rússia e espete lá os russos, porque sei que você é contra os russos mesmo que não admita. O que basicamente vem mostrar que você é falso, é um falsário dos verdadeiros sentimentos, porque você nunca admite eles, nunca fala das suas idéias, que sei que são mais pra extrema esquerda, né?

Então, mesmo estando ultrajado, olho pra ela e ela me parece bonita, o que não posso negar. E o que me obriga a uma série de gestos. De um modo geral é tão bonita, tão frágil quando olho na direção dela, que fico com pena de todas as palavras, de todas as expressões que foram ditas. Fico com pena dela, porque talvez tenha tido uma infância difícil, mais que difícil. Talvez não tenha uma vida das mais fáceis, desde cedo rejeitada, eternamente engambelada pelo governo, pelo Estado, sem chance de perspectiva. Quando olho pra ela assim, fico pensando que talvez o drama dela seja não ter nascido nem no lugar, nem na hora certa. Fico imaginando que num outro lugar, num outro país, podia virar até rainha da corte real. E nin-

"Satā, Satā".

guém ia sacar que é uma garota como outra qualquer, nem o rei, nem o marechal. E se não tivesse ficado tão mau entre a gente, tanto bate-boca, se não tivesse aparecido toda essa paranóia, essas acusações por tudo e por nada, esse rancor um com o outro, ia ser diferente. Eu ia pegar ela e colocar nessa mureta. Ia tirar a meia-calça dela e pôr de novo, pra não ficar assim tão revirada, tão desmilingüida, ia tirar o vestido dela e pôr de novo, pra não ficar assim tão espandongado. E se tivesse um lenço de papel, coisa que o Esquerdo aliás já me lembrou várias vezes, porque lenço de papel é um negócio que até todo cara durão devia ter consigo como apetrecho pessoal e sempre tem utilidade. Então ia limpar do rosto dela essa graxa que vai se espalhando feito uma paisagem em volta dos olhos dela. Esse batom colorido feito um resto de sobremesa ali em volta da boca.

Eu ia fazer isso. Mas enquanto isso ela tá emburrada como se fosse no mínimo dona e senhora dessa mureta, e eu fosse um abnegado, um imigrante ilegal sem passaporte, sem visto pra ela, sem nada.

O dia tá bonito, puxo conversa num tom mais brando.

Ela diz depois dessa: aí, acho que já tô com o pó em baixa, tá me dando vontade de vomitar e daqui a pouco vou vomitar na boa em cima da sua calça se você não me liberar de novo pelo menos um risquinho. Tô com a impressão infalível que já tô talvez até morta, que já quase parei de viver. Basta um sopro de vento, um gesto da parte dele. Foi mau, mas agora vou ser sentimental no sério. Porque na roça quando passam a faca no pescoço da galinha, ela também corre assim sem cabeça uns quinze metros pelo quintal. É assim mesmo que ela tá se sentindo, feito uma galinha de cabeça cortada correndo com as últimas forças pelo quintal. Mas sei que daqui a pouco, sem dúvida, vou morrer. Se você, Forte, pelo menos uma vez fosse capaz de me ajudar, de me entender.

O que tinha, o restinho que acho na bolsa dela, porque a Magda já tá numa baixa bem visível mesmo, espalho num jornalzinho de ofertas do Hit. Que achei não muito longe ali por perto. Já tá amanhecendo. Digo pra ela não morrer, digo que esse sentimento, por mais que esteja machucado, que esteja estropiado, ele existe entre a gente. Mas ela enquanto isso tá com a cabeça recuada em relação ao corpo e só vai andando e fazendo sinal que sim. O rosto dela tá bem acabado, anêmico. Assim como se por baixo, por dentro, a Magda tivesse terra de jardim em vez de carne. O que me deixa em choque. A gente vai andando pra estação, mesmo podendo pegar um táxi. Mas na verdade a gente não pode, porque tem a possibilidade da Magda chamar o raul, de vomitar terra de jardim talvez, porque ela tá com essa cara. Além disso, penso que é bom pra saúde passear de manhã. Coisa que categoricamente pode nessa situação ajudar a fazer ceder os sintomas, pode mudar toda a situação em nosso favor. No caminho a gente pára num posto de gasolina, porque compro pra Magda a *Filipinka*, pra ela ler uma revista, um jornal. Apesar de ser declaradamente contra. A Magda diz que é um bom sinal, que eu tô derretido, romântico, carinhoso com ela como ninguém antes de mim. Junto com o jornal pelo visto vem uma bolsa jeans de algum pano. O que a Magda percebe na hora. O que no estado dela é significativo, porque logo se vê que deve estar contente, feliz, apesar de no geral estar com uma aparência fatal. Porque na maior pressa, na maior afobação despeja as coisas da bolsa velha na calçada. Praticamente só tem chiclete, um monte desses trecos de mulher tipo desodorante,

41

batom, brilho, um monte de firula de beleza. Isso me deixa meio puto, porque apesar de ser de manhãzinha, ainda assim isso é uma porcaria, é uma bela esculhambação um comportamento desses, o que eu digo, pra ela não vir fazendo sif no meio da cidade. Ela diz que merda não tem mesmo ninguém aqui e agora vendo ela, então ela pode até dar uma mijada aqui se der vontade. Aí então taca fora aquela bolsa e começa a usar a nova, jogando ali dentro tudo que ela tem, só deixando na calçada uns saquinhos vazios de pó, uns papéis de chiclete. E também uma caneta com o nome Zdzisław Sztorm, uns comprimidos de ervas que servem de calmante e que eu conheço de longe. Porque fedem a cocô de galinha.

Ei, essa caneta deixe aí, mais tarde quem sabe talvez possa ser útil — digo. Ela responde que tá emagrecendo nos últimos tempos e que perdeu dez quilos nos braços, e despacha a caneta categoricamente, porque traz lembranças ruins do Wargas que tinha dado pra ela.

Fico matutando de onde nela esse declaratismo, esse dom de decidir. Aí já se sabe, tem passagem não tem passagem, fila, a gente tira água do joelho perto da estação, cigarro LM, mentolado, porque é só desse que sobrou. Digo pra ela que as mulheres foram extremamente prejudicadas precisando mijar desse jeito que parece até um disco voador na decolagem. A Magda pergunta que caralho tenho com isso e diz que é melhor eu cuidar como eu mesmo mijo. Lê sem energia a *Filipinka*, diz vou embora, vou embora daqui pra um outro lugar, pra países melhores. Pergunto mas pra onde. Ela responde que pra países quentes pelo menos. Nesse meio-tempo vai pra um canto da estação, porque quase não tem passageiro além da gente e seja lá o que se diga os enjôos dela tão fortíssimos, sem nem falar dos detalhes. Depois com calma continua a ler. Diz que vai embora pra esses países onde tem essas roupas, esses cosméticos, cremes de pepino, de tudo, porque é só lá que quer viver, se quero ir com ela, gel pros olhos, um monte de creme, sais de banho. Digo que claro, quero, apesar de que o meu entendimento nessa questão aí é outro, eu diria mais esquerdizante-patriótico. Pois é, e digo pra Magda qual é na verdade o estado das coisas no nosso país. Conto pra ela da opressão geral da raça dominante sobre a raça trabalhadora, da raça possuidora sobre a raça despossuída. Que são as mesmas relações duma escravidão. Que o Ocidente fede, tá com o meio ambiente destruído, emporcalhado com uma porção de compostos artificiais, PVC, a maior foda. Que lá tá tudo dominado por judeocidas, operariocidas, assassinos que sustentam a si mesmos e seus filhos bastardos com a opressão, vendendo pras pessoas merda de marca em embalagem de marca vendida com a marca McDonald's.

Tá de sacanagem — diz a Magda sem uma gota de sangue no rosto, com uma expressão bastante emocionada. Feito uma criança pra quem desmascaram bem na frente dos olhos a enganação que é o Papai Noel, outro costume igualmente fedorento trazido às mancheias do Ocidente. Não é merda nada, eu já comi.

É, eu também já comi, mas sem querer preocupar você é merda sim, merda de gente, e até de vaca, cachorro, bichos domésticos e de circo. Explico assim de um jeito figurado pra ela entender. É uma merda preparada, quimicamente desnaturada, transformada da sua composição pra uma outra composição e sabor. Isso já é uma questão especializada, tecnologias, procedimentos produtivos, precedentes. Uma merda vai mais pro pão, de uma outra fazem carne, de outra cebola, de outra, a pior espécie de merda, ketchup e mostarda.

A Magda não quer me acreditar, diz: como você sabe, você é prosador e poeta num só, é?

Nisso digo pra ela, já que tenho provas materiais, mas não quero decepcionar ela, que de livros de consulta, vários livros de consulta de conteúdo de esquerda, de conteúdo anarquista, libertário.

Nisso ela olha pra mim e diz: é merda, não é merda, mas é bem bom, gostosão.

Aí eu digo: já isso é mesmo verdade, e a gente fica olhando pela janela, sonhando com produtos alimentícios, nutricionais, porque há muito tempo a gente não come almoço nem jantar, sem contar aqueles drinques, aquela anfa. Depois em silêncio a gente volta pro meu cafofo, que justamente tá liberado, vazio. E logo já tá tudo pra trás, todo o nosso amor, porque a gente tá cansado paca, exausto com toda essa noite cheia de sentimentos e muitos acontecimentos. A Magda vai até o espelho, ajeita a calcinha, estica a pele do rosto e diz pra mim na hora com altas acusações: por que você não me disse? Por que você não me disse nada?

Quer dizer em que aspecto? — respondo com uma pergunta da cama mesmo, porque tô cansado pra valer com toda essa situação. Ela diz: que tô com essa cara! Gordurosa! Ensebada! O que emagreci nos braços deve ter ido pro rosto, toda a gordura, toda a carne que perdi nos braços! Puta que pariu! Que cu! Tô com uma cara de porco, de porco-do-mato! Olho e boca borrados! Repetidos duas vezes na minha cara!

Daí em diante infelizmente não sei, porque apesar do berreiro fora do natural e do quebra-quebra de um monte de cosmético na pia, caio no sono e acordo já bem depois. E os sonhos que tenho, vai me desculpar, mas já não é problema dela.

Recebo no celular uma mensagem de texto da Angela. Oi Forte, a gente se conheceu assim e assado, e a gente ainda se vê? Uma mensagem assim. Um sms. Tô acordando neste momento do sono, no lençol, na cama dos meus pais, de um sono talvez longo, ou talvez curto. Porque que horas são é coisa duvidosa. Talvez já não seja hora nenhuma e o mundo tenha acabado com o apocalipse, o que se manifesta e causa síndromes na minha psico e fisiologia. Porque não tô legal, sobretudo fisicamente, fisiologicamente. Aí percebo um fato intolerável pra assimilação e o entendimento lógico. Bem perto de mim tá muito nitidamente deitada a Magda, dormindo, o que me faz rodar um filme nada mau em torno desse capítulo. Doideira clássica. Porque tá nitidamente perto, mas se vive, ou se não vive, é duvidoso. Fico com medo, me dá um cagaço daqueles em relação a esse ponto, porque ela não tá com uma aparência muito boa, tá parecendo não estar viva, diria até literalmente morta. Respira uma vez, na outra não respira, alternando, com certeza pra me fazer um filme ainda pior. Sem se mexer nem um passo nesse meio-tempo da posição em que se encontra. Tento lembrar algum evento da noite passada, algum fato em que a Magda tenha sofrido uma morte certa. Mas não consigo lembrar.

Enquanto isso, mesmo com cada menor movimento meu sendo quase mortal, com a dor e o sofrimento sendo meus amantes inseparáveis, pego a bolsa dela. O que me custa muita dor na lata e em todos os órgãos humanos que existem no meu corpo. E preciso ainda jogar em cima da colcha toda a merdalhada que ela carrega ali dentro e o teor disso tudo vai me perdoar não me interessa merda nenhuma. Tudo pra arranjar meio comprimido de panadol.

Porque talvez até eu vá trair minhas convicções, minha visão de mundo antiglobalização. Mas o panadol, mesmo sendo feito de animais venenosos, de plantas venenosas e refugo inter-humano do Ocidente, de minerais do Ocidente, de paracetamol que envenena no mundo inteiro os bebedouros, que se pesa numa balança esterilizada com um contrapeso esterilizado.

Mas mesmo assim é um bom remédio, de propriedades inclusive medicinais. Não interessa. Se é veneno de abelha, vespa, ou se é veneno de cadáver. Tem a forma de um simples, o mais simples comprimido, apropriado e cômodo pra engolir. É bom tanto pra essa dor geral que dá na baixa, e que me deu agora por exemplo, quanto pra doença, febre. Quem sabe se não é tosse, caganeira? Numa palavra, cura tudo.

Aí acho a caneta Zdzisław Sztorm. É quase um choque pra mim. Nesse momento se erguem na minha frente feito uma fata morgana todos os eventos e todos os acontecimentos que ocorreram ontem. Apesar de que, cronologicamente falando, talvez até tenha sido hoje mesmo.

É que nem o momento da morte: levanta uma fumaça, bem na sua frente sua vida toda fechada num negativo fotográfico, igual a um slide. Aí lembro que muitos acontecimentos, muitas palavras tinham justamente relação com morte, morrer, sofrer. Olho pra Magda que se não bastasse estar de olho fechado não se mexe nem a pau. Penso nessa criança que ela ficou se gabando de ter, penso que talvez bem na hora em que eu não tava olhando ela deu à luz e morreu no parto, sob o ditado da anfetamina. Mas essa versão eu rejeito, porque lembro também que a gente trepou depois, bem nessa cama, o que é mutuamente excludente, porque com a criança, com todo aquele barraco biológico-fisiológico que dizem que vem depois, é pouco provável.

Depois lembro a minha raiva, que me inclinou a uma incontida agressão com uso de um instrumento cortante. Lembro que quis cortar a perna dela na altura da coxa. Fico apavorado, porque não consigo evitar o pensamento de que fiz isso. E isso agora é uma amnésia temporária provocada pelo choque do crime, o ataque de crueldade. Vermski Andrzej isso confere. Mas que eu tenha cortado a perna dela, isso já foi posto porta afora da minha mente, talvez até pra sempre. Cheio de medo enfio a mão debaixo da colcha e procuro a perna, aquela com cãibra, que pelo que eu lembro tá pro lado da parede. A perna tá lá e tudo beleza, e ela ainda dá uma resmungada, feito um cachorro feliz da vida com o próprio cocô. A Magda além disso tá nitidamente esverdeada, é, esverdeada, espalhada pela cama toda, que nem a vítima de um assassinato, mas nitidamente assassinada não foi e nem morreu em combate pela bandeira rubro-polonesa, não pereceu na guerra pelo mastro. Tá até de maquiagem nova feita antes de dormir, aquela lambança lavada e agora uma outra, meio torta e meio ao contrário, porque com aquela anfa, com aquela baixa sem a menor culpa dela, tava com as patinhas tremendo e fez um monte de risco e de pingo, como se o alfabeto Morse inteiro tivesse passado marchando em cima da cara dela. Olhando pra isso, talvez eu nem devesse recorrer a esse tipo de alusão, mas só vou dizer que desde quando era bem moleque até mais tarde na minha vida nunca soube o que é cílio e o que é sobrancelha. Olho é claro eu sabia, mas cílio e sobrancelha eram magia negra pra mim. A mesma coisa saia e vestido. Diferença nenhuma. Sermão em chinês na igreja nacional polonesa. E isso causou literalmente uma avalanche de situações pessoais, íntimas, nas quais me comportava de modo equivocado e indevido. Mas de um jeito ou de outro sempre me safava delas.

E depois de ficar sabendo que ela não tem nada, removo de cima da minha barriga toda essa porcaria estrangeira inorgânica que despejei da bolsa dela. A bolsa com um folheto anunciando alegremente: *Filipinka*. Afasto a colcha e pensando exatamente da maneira seguinte vou de fininho até a cozinha.

Onde dou uma espiada no meu celular, que tá com uma mensagem de texto da Angela. Aí no ato ligo pra ela. Um dois três. Ela contentinha. Talvez bêbada ainda de anteontem, que foi justamente quando fiquei conhecendo ela. Digo que é muito linda e muito bonita, que me deixou encantado como garota e como mulher. Aquela conversa mole de homem, papo furado, telefone, linda e bonita, e maravilhosa, e também ao mesmo tempo bonita. Digo que tem um caráter bacana e que gosto disso nela. Pergunta que tipo de música escuto. Digo que de tudo um pouco, que em geral de todos os gêneros. Diz que ela também. Resumindo, a gente troca uma idéia bacana, a discussão é de alto nível, cultural. Uns temas de cultura e arte, ela: de que filmes eu gosto, eu, que ela é muito atraente, mas que o mais bonito nela é o rosto, eu gosto de vários filmes, mas principalmente várias atrizes e atores. Que ela mesma podia ser uma senhora atriz ou modelo. Diz que não tô regulando direito, digo que se não me acredita então o problema é dela, mas que sou capaz de jurar por são Jakub Szela e todos os santos. Aí responde que precisa desligar. Aí pergunto se ela viu *Velozes e furiosos*. Diz que talvez sim, ou talvez não. Proponho a gente se encontrar pra um vídeo. Pergunta se já tenho namorada. Digo que ainda não, porque tá difícil me recuperar do meu último relacionamento, que foi cheio de um amor inocente, trágico até, condenado ao fracasso. Ela nisso diz que gosta de garotos românticos, sensíveis, mas ao mesmo tempo durões e sombrios. Com senso de humor, que gostam de amor, de aventura, passeios a dois, longos passeios na beira da praia, longas conversas sobre tudo, caminhadas românticas, cartas longas, francas, e com um senso bem alegre de humor, que sejam pra ela verdadeiros colegas, amigos, sinceros, sensíveis, com atitude, com cultura, com arte, conversas sinceras sobre a transitoriedade. Respondo que também gosto de garotas assim, bonitas, lindas, com senso de humor, que gostem de filme movimentado de ação e de música boa pra escutar, que gostem de se divertir, de dançar, atraentes, em forma. Ela pergunta se não tô regulando direito. Fico invocado. Porque se digo alguma coisa é porque é verdade, nem que seja pelo fato das próprias palavras que tão sendo ditas. E mesmo que não seja, ainda pode ser. Aí pergunta se eu sei que tem uma guerra Polônia-Rússia em nossas terras sob a bandeira branca e vermelha, uma guerra entre poloneses genuínos e malfeitores russos, que roubam os selinhos de controle e a nicotina deles. Digo que não tô sabendo de nada disso. Diz que é sim, que tão dizendo que os russos querem sumir com os poloneses daqui e fundar um Estado russo, talvez até bielo-russo, querem fechar as escolas, as repartições, matar os recém-nascidos poloneses nos hospitais pra eliminar todos eles da sociedade, impor tributos e taxas sobre os produtos industriais e alimentícios. Digo que são uns porcos ordinários, uns infiltrados de uma figa.

Aí ela diz que precisa desligar. Pergunta por que tô falando tão baixo, como se estivesse cochichando. Digo que bem aqui no quarto ao lado minha mãe tá dormindo, porque tá na maior baixa. Ela pergunta como assim na baixa. Respondo que a minha mãe é uma mãe que gosta às vezes de mandar uma carreirinha pro nariz antes do trabalho ou no fim da tarde. A Angela ri, diz que tenho um senso de humor divertido, e que por isso já ganhei cem pontos com ela logo de saída. Digo que valeu, que a gente ainda fala sobre isso, porque ela tem um caráter e um temperamento bem bacana, é o que eu vejo assim de cara nela.

Volto pro quarto, onde tá uma verdadeira sodomia, gomorra, sif, malária, morticínio. A cama pulada nela mesma, despirocada. Uma dor da porra na cabeça. A caneta Zdzisław Sztorm rola pelo quarto inteiro, feito num plano inclinado. Pra cá e pra lá. Bolinhas de chiclete, coloridas, vermelhas, azuis, se derramando da bolsa da Magda que nem granizo e neve, precipitações climáticas no linóleo. Umas meias, uns panos, umas bugigangas. Tudo como se tivesse passado uma tempestade por aqui. Uns trapos sem qualquer substância. Soprados pelo furacão que vem da janela. A luminária balançando praqui e prali. Sujeira, pó nos móveis. Numa palavra, caos, pânico. A Magda na cama numa posição ambígua que nem uma rainha numa pilha de lixo, usando uma camisola da minha própria mãe, coisa que me enche até as tampas de raiva. Jogando algum joguinho no celular. Mete a língua no saquinho de anfa que achou no bolso da minha jaqueta. É de desesperar. É preguiçosa, não se tira dela nenhum proveito. Depois de me ver, o próprio namorado, não dá a entender nem uma sombra de alegria. Em vez disso um repentino desânimo, uma decepção.

Com quem você tava falando? — me pergunta, mas antes tira da língua o saquinho de anfa.

Como, com quem eu tava falando? — respondo assim, sendo desagradável mesmo, mas é justamente nesse estado de grosseria, de aspereza que a visão dela me deixa.

É, falando: não tava falando, se tava falando? Eu também ouvi, então tem testemunhas. De um jeito diferente, porque eu tava dormindo. Assim como os peixes devem ouvir a conversa da gente lá debaixo da água. Bló, bló, bló, isso e aquilo. Tintim por tintim, foi isso que ouvi, meio dormindo, meio sacando. E no que diz respeito ao que eu tenha entendido, você repetia mãe a três por dois.

Aí digo pra ela o seguinte, porque já tô puto e não é pouco por ter que ficar olhando pra cara dela: é que a minha mãe me ligou no celular, não sei se você tá sabendo. Disse que agora mesmo vai dar uma passada aqui no cafofo e que é pra você ir se mandando na toda. Porque se ela topar com você, você tá morta. Feito um vira-lata. Porque você, Magda, não é boa companhia pra mim. Porque minha mãe tem princípios, ela acha que o maior tesouro de uma menina é o pudor, e isso você não tem, tem menos ainda que cultura. Que aqui na vizinhança circulam fofocas sobre você, que você usa anfa, ácido, se mete com quem não deve. Que no geral você tá acabada, que me esgota moral e mentalmente. Que se ainda por cima você estiver aqui desfilando com a camisola dela, com os panos dela, é morte entre suplícios o que você vai conseguir. Então se arrume depressa se não quiser arranjar problema pra gente, atestado de insanidade. Precisei dizer pra ela: mãe, não precisa se preocupar com nada. A Magda tá dormindo mas é lá no quartinho, no porão, trouxe a persiana dela e só ocupou um cantinho de nada, onde tem o aquecedor. Tá dormindo lá, nas nossas coisas, no nosso papel-moeda ela nem encosta.

A Magda fica calada, mas de repente explode. De um jeito doentio. Inteiramente ininteligível. De um jeito intermediário entre a tosse e a raiva. Começa a juntar o inferno ao redor dela, cintos, meias, que nem uma coleta seletiva relâmpago de lixo. Tá nitidamente venenosa. Diz: sua velha também tem titica na cabeça igual a você, é mental igual a você. Na vizinhança falam dela que botou na casa de vocês uns painéis dos russos e que esses painéis, esse siding, já já quando menos se espera vai descolar.

Aí põe as meias, que tinha perdido nalgum lugar. Esfrega os lugares que tão desfiando com os dedos, como se fossem fechar e sumir com isso. Olha pra mim com aparente compaixão e diz: é russo esse siding. E esse siding de merda vai despencar de uma grande altura. Matando a família toda. Se ligue aí na idéia. Melhor arrancar esse painel enquanto é tempo. Tô avisando você, Forte. Depois tá rolando um grill no jardim, tudo gracinha, costela do Hit, sua velha inclinada em cima do grill atiçando o fogo, seu mano com o kit portátil de temperos. E aí, Forte, todos vocês tão inclinados em cima do grill olhando pra ele feito numa revelação, feito num eclipse do sol. E nisso tó, tó, tó, os painéis vão voar nessas cabeças de titica genética de vocês feito uns meteoritos fodidos, feito umas luas ou uns planetas do céu. Um no seu mano. Pelo tráfico, pelo egoísmo, pelo derrotismo dele, por dar em cima da Arleta e depois deixar, largar ela na primeira parada de ônibus. Por ser unha e carne com os russos. Tó na cabeça dele. E direto pro hospital pra ala de controle infeccioso. Ou melhor, até no isolamento de uma vez. Tó! Outro na sua mãe. Pelas fofocas, pelo Zepter inteiro, onde ela faz negócio e leva uma boa bufa. Pelos preços criminosos daquele bronzeamento artificial horroroso. Por todo o mal, pela destruição, Forte, do nosso amor. Tó. E direto pra ala.

Nisso a Magda, vendo que apesar do silêncio da minha parte já tô instigado a reagir, dá um sorriso de desculpa, mas ao mesmo tempo cheio de veneno. Como se quisesse me dizer: sorry, Forte, que você tenha uma família assim, que suja sua barra na cidade inteira. Não sei o que aconselhar a você sobre isso. Você pode no máximo não dar as caras, pode se esconder. Porque entre gente normal você não tem chance. E fica zanzando pela casa toda. Arrasta os pés no linóleo. De desesperar. Só de meia.

O outro painel na sua cachorra. Tó! Bem na cabeça. Porque essa cachorra é anormal, é patológica, só tem barriga. Zero perna, zero mão, cabeça residual. Que nem o resto da família.

Dizendo isso, a Magda traz do banheiro a escova de dentes da minha mãe, espreme pasta em cima, e no cúmulo do descaramento começa a esfregar os dentões malfeitos dela. Mas isso não é o fim do discurso, porque apesar dos obstáculos resultantes da atividade de escovar os dentes ela continua falando. Diz agora o seguinte, e esse é o ponto culminante nas atrações do programa dela. E o último painel vai fodido em cima de você, Forte. Pra que você saiba que cuspo em você, que não amo você mesmo. Pra que você saiba a verdade sobre você. Que você é um nada, uma sujeira na minha unha. Que mando você, com o perdão da palavra, praquele lugar. E isso não é só por você ter sido um palerma e me meter nessa história de filho. Porque isso é o mal menor, porque talvez até a Klaudia ou a Dona, o Nikola ou o Markus não vai ser seu filho, só meu, e você vai morrer. Não importa se é menino ou menina. O pior é você ter tentado me matar, ter apontado pra mim uma faca. É você não ter tido compreensão pela minha baixa. Porque essa sua alma de esquerda é uma merda só de uma ponta até a outra.

Após dizer essas palavras, a Magda cospe no piso a espuma da pasta. Que pasta você usou pra escovar os dentes? — pergunto pra ela olhando pra isso, porque de repente me dou conta de todo o dramatismo, de todo o desespero, e fico nervoso pra valer. Me diga, sua puta miserável. Essa da direita, ou essa da esquerda? Responde que já não lembra com certeza, porque tá numa baixa violenta e que é pra eu não forçar a psique dela hoje. Porque ela tá em frangalhos.

Porque essa pasta da esquerda era de Páscoa. Se você usou ela vou esfolar você feito um vira-lata, digo pra ela. Por ultraje aos princípios, à constituição da minha casa. E por ultraje à minha mãe. Porque seja ela o que for, boa ou má, do Zepter ou da PSS. Mãe é mãe, e eu amo a minha. E você não tem nada com isso. Ó aqui o inferno dessas suas tralhas, sua bolsa e seus trapos, ó aqui seu mundinho fingido portátil. Ó aqui, tô jogando tudo pra você aqui na escada, que nem se atira osso pra um cachorro, pra que você saiba qual é seu lugar nessa vida. Pode ganir. Pode ficar ganindo feito um cachorro. A mim você não comove. Tenho coisas mais importantes pra fazer.

Depois de dizer isso empurro ela um bocado cruelmente, um bocado brutalmente pela porta Gerda de fechadura automática. Sem nem pôr as meias direito. Isso é mau, é desleal da minha parte, admito. Mas me tirar do equilíbrio é morte entre espasmos. E ela vai arcar com isso. Todas as conseqüências por isso. Por conta própria ou de outro. De esquerda ou de direita.

Arleta, se inclinando em cima do balcão, tá, sinceramente, bêbada pra chuchu. Feito um animal exótico de cara inchada. Faz uma bola com o chiclete, que estoura encobrindo ela com sua estrutura cor-de-rosa, encobrindo a cara dela. Depois tira o chiclete da boca, põe de novo. É como um símbolo do consumismo.

Comeria tudo, engoliria até o último farelinho o mundo inteiro e depois jogaria fora feito um embrulho destruído de papel laminado. Fumaria até o toco todos os cigarros do maço de uma vez se pudesse arranjar em si mesma um lugar pra eles e depois acender. Um resto do drinque ela lamberia do balcão.

Enfiado na mão dela tem um cigarro de nome Viva, que leva até a boca com uma expressão bem sem graça na cara. Diz pra mim o seguinte: escute aqui, Forte, queria perguntar uma coisa pra você à parte. Digo: é só mandar. Ela nisso: você vai me dizer o que aconteceu na verdade entre você e a Magda? Digo que ela não tem merda nenhuma com isso. Aí ela diz que assim mesmo sabe muito bem, então não preciso dizer nada pra ela, porque sabe assim mesmo. Eu nisso: então o que é que aconteceu entre a gente que você sabe? Ela diz: você ainda podia mudar tudo, consertar tudo quando vocês estavam na praia e a Magda quis ficar com você. Ela me contou tudo. Mas você foi ciumento e de manhã ao acordar na sua casa, pra onde você levou ela na lábia, ela disse pra si mesma lá no fundo da alma que já não podia ficar com você. E foi isso mesmo que ela fez. E isso por sua causa, o que eu queria ouvir de você, Forte.

Eu ponho a mão no rosto. Foi bom ela não estar aqui hoje, aquele cabelo de trapo, aquela vozinha de passarinho, aquele sorriso que nem mulher se estrebuchando no clímax. Porque hoje com certeza ela não sairia daqui com vida sem mais aquela. Procuro por ela pra se for o caso matar, aniquilar. Música, luzes, neon. Ela porém não tá em lugar nenhum, por isso depois de dar uma olhada em volta pergunto pra Arleta: cadê a Magda? Responde, vendo que eu tô puto no limite, fora do normal: foi com o Lolo na horta.

Que horta já não vai dizer. Tem medo que eu vá lá e mate os dois ao mesmo tempo com um só golpe. Que estrangule os dois e pise a cara deles com meus próprios pés. Que enterre os dois debaixo do caramanchão depois de enfiar no chão uma estaca de álamo e de entornar na terra um solvente, álcool desnaturado pra que nunca mais consigam sair. Pra que façam amor no subterrâneo, não em público, no escuro acolhedor dos fundos da terra de jardim. A Arleta não, não vai permitir um crime tão astuto, porque ela mesma tá com o cu na mão que no curso do inquérito venha à luz a questão dos delitos dela contra as leis por causa dos cigarros russos.

O Barman diz pra eu deixar isso pra lá. E é justamente o que faço. Mas não porque a Magda me importe, mas porque tenho pro dia de hoje roteiros e assuntos mais importantes. Quais são eles, isso ainda vai se mostrar.

E fico sentado. Roupa maneira, porque troquei de roupa, de manhã quando levantei tava só de cueca. Calça limpa também. Aí entra a Angela e passa feito freguesa do bar, senhora do bilhar e do fliperama. Assim aliás acaba me ocorrendo que em suma eu não lembrava da cara dela, dessa Angela. Alguém, alguma coisa, mas nem idéia de que igreja, se da paróquia ou da província. Agora reconheço ela sem perdão e levanto pra cumprimentar.

A Angela é uma garota de tipo diferente da Magda. Diferente no toque, diferente em tudo. É assim de um estilo mais sombrio, obscuro. Saia preta assim com uma penugem, umas botas de amarrar, meias não das normais, mas arrastão bem provocantes. Cota de malha, soqueiras nas mãos e nas orelhas. Toda de esmalte preto. Toda besuntada de esmalte, mas certinho e com cuidado. Nos lábios e também nos olhos. Dos quais se empinam cílios emplastados até a alma.

Você tem um estilo bacana, interessante — fecho a boca dela assim na hora com um elogio.

Vejo logo que isso delicia ela, falar disso. Ela nisso responde: de que estilo você tá falando? Eu digo na hora: você sabe. De roupa, comportamento, atitude.

Ela diz que é só ela mesma, que isso não é imposição da parte de ninguém, que isso é escolha dela. Que a vida toda se vestiu assim feito eu e você, feito todo mundo, mas um dia disse pra si mesma que queria ser ela mesma e manter seu estilo próprio inconfundível. Assim como ela por dentro, sombrio e obscuro.

Digo que isso é muito bacana e interessante da parte dela. Que o mais importante na vida é justamente ser você mesmo, ninguém mais. Ela diz que foi também o que ela descobriu.

Aí a conversa se interrompe por um instante. Bebendo um pouco do drinque Angela dá uma olhada pelo salão.

Tá se divertindo? — digo pra ela pra retomar a conversa.

Com certeza — diz — bastante. Apesar de quase sempre odiar gente como você. Isso vou dizendo de uma vez.

Isso me pega completamente de surpresa, interceptar uma mensagem dessa de uma menina aparentemente tão legal, que não faz muito tempo pelo telefone se mostrava tão simpática. Fico olhando pra ela. Ela nisso o seguinte: porque você sabe. Não tô falando concretamente de você, porque você é agradável, asseado, é inteligente. Tô pensando nessas discobundonas, essas discovagabas, que odeio simplesmente. Olhe pros seus conhecidos. Só piranha, só gavião cheio de fome um pelo outro.

Elas todas só pensam em arranjar marido. Pagação de mico total, oferta de reprodução. Falta de anticoncepcional. Mas você é diferente, percebi isso logo aqui. Romântico, porque na hora reconheço isso na sua verdadeira natureza. Romantismo, carinho, passeios a dois, motos, pedalinhos. Tudo o que eu gosto.

Depois pergunta se já tenho alguma garota. Respondo que ainda não, porque não consigo me desligar de uma garota que precisei deixar, porque ela todo dia toda hora tava me destruindo espiritualmente. E ela: claro, que bom que você rompeu com ela. Eu por exemplo não sou assim. Quer dizer, superficial, boba. Pense só, por exemplo, eu não como carne. Carne é produto de um crime. Açúcar é feito de ossos de animais, por isso açúcar eu também não como.

Olho pra ela como se estivesse enfeitiçada. Me ocorre o pensamento de que talvez seja uma doida que deu no pé do hospital e agora me escolheu pra sua próxima vítima. Eu devia fugir daqui neste minuto, pagar minha conta, dizer pro Barman que tem aí uma rabudinha legal querendo conhecer ele e zunir daqui a todo gás. Mas não faço isso. Não tenho o instinto animal que salva do extermínio da espécie. Fico sentado olhando pra ela, pra saia, pras pernas dela. O que será será.

Ela vê isso, bebe mais um pouco do drinque. Sabe que também não como ovos?

Isso já não agüento, porque entender esse tipo de idéia absurda eu não entendo. Digo pra ela: que papo é esse, você é pancada? Que que os ovos fizeram de mal pra você?

Olha pra mim com uma senhora indignação, como se eu não conhecesse os mais elementares fundamentos morais. Diz pra mim o seguinte: e como é que você ia se sentir se matassem você sem você estar de acordo? Se estivesse até inconsciente disso, portanto indefeso? Mas você vai se convencer por si mesmo. Porque o mundo já tá na beira do precipício. Quando olho de manhã pela varanda sei de uma coisa, o mundo tá se acabando, tá morrendo. O ambiente natural. A humanidade completamente degradada. Excesso de peso universal, obesidade. Tristeza. Americanização da economia. Você entende todos esses fatos? Poluição CV. Asbesto. VTC. A gente como ser humano tá acabado. É o fim.

Aqui se inicia uma discussão nesse aspecto. Digo o seguinte, porque a coisa me tirou do equilíbrio que eu vinha mantendo: e você sabia que às vezes é assim, que às vezes acontece que as galinhas e os galos furam os próprios ovos e depois comem?

Ela nisso ainda mais irritada: é porque se revoltam! Dizem não pras pessoas ruins que tomam ilegalmente deles a única prole que têm. Preferem destruí-la a alimentar a sombria gente humana.

Se bem que eu mesmo postule a não-poluição da natureza pela ação de empresas americanas, o discurso dela me chocou um pouco. São como que as minhas idéias de caráter antiglobalização, mas não exatamente as mesmas. Mais histéricas, sem lucidez, sem equilíbrio.

Acho que as suas idéias são muito radicalmente pessimistas, digo, pondo a mão na coxa dela. Ela diz que é simplesmente realista. No mês passado o namorado largou ela. Amém, essa é que é a história. Desde então ela não tem ilusão nenhuma, já não é tão ingênua pra se amarrar. O mundo apavora, esmaga ela. Mas se encontrasse alguém que gostasse de andar de bicicleta, de fazer esporte, badminton, jogar bola na praia. Que compartilhasse os hobbies dela. Que ajudasse ela a descobrir a beleza do mundo. Amizade, amor, passeios românticos. Ia conseguir se dedicar, se entregar. Ia responder às cartas.

Não pense que vai ser assim, que seus problemas vão sumir de uma hora pra outra — digo pra ela, estranhando a profundidade interior, a espiritualidade que toma conta de mim. Digo assim: não vão ser esses, vão ser outros problemas, outras contrariedades. A vida não é tão simples.

Nisso ela manda a seguinte confissão: não sei se você sabe, mas não acredito em Deus. Deus não existe, porque condenou seus filhos ao sofrimento e à morte. Deus não existe e pronto. Nem na igreja, nem em lugar nenhum. Acredito categoricamente nisso, não importa o quanto você me convença do contrário. Só existe satã. Nenhum argumento funciona contra minhas idéias, pra que eu possa abrir mão delas. É só isso que vou dizer pra você sobre esse tema. A Bíblia Negra, você precisa ler isso, analisar, essa foi a minha melhor leitura durante todo o liceu de economia, minha melhor escola de idéias. Especialmente o capítulo que fala dos assim chamados vampiros energéticos, que tomam de você sua energia, não deixando mais nada, esse tipo de pessoa. Era assim o meu namorado Robert Sztorm, que tirou tudo que eu tinha.

Eu na hora me agarro a esse tal de Robert, porque diante dessas opiniões dela sobre religião, sobre a esfera do sacrum e do

"Por um cachorro polonês, dois russos".

profanum não tenho nenhuma, mas absolutamente nenhuma réplica que seja. E mesmo que tenha, não quero declarar nada em público. O trato é esse, cada um pensa o que pensa e o outro não tem nada que ficar sabendo disso.

Robert Sztorm, de algum lugar eu conheço esse camarada — é o que digo pra ela. Ela diz que talvez, da escola, da discoteca ou também do clube, da bolsa. Digo espere aí, espere aí, ele não tem um pai chamado Zdzisław? Ela diz que sim e se conheço ele. Digo que sim, que é claro, que são eles sem erro os proprietários da usina de areia com quem eu tenho negócio, contas a ajustar. Ela nisso já bem mais alegre diz que até que vem a calhar. Eu digo também. Diz que nunca ia esperar. Digo também. Que tenho uma firma de transportes, de turismo. Que antes de mais nada porém eu também tenho uma fábrica de parques de diversão, que consome justamente um monte de areia. O negócio é que esses parques de diversão precisam ficar em cima de alguma coisa, e tá provado por especialistas que o melhor é que fiquem em solo arenoso.

Acrescento ainda: ferruginoso e algum nome ocidental menos compreensível, pra que saiba que no nosso ramo a gente sabe das coisas.

Quanto à fábrica de parques de diversão, ela diz que eu não tenho cara. Digo que apesar disso é isso aí. Aí diz que se é isso aí, então é pra eu dar pra ela minha credencial, meu cartão dessa empresa. Digo que tá sendo providenciado pela minha secretária a senhora Magda. Mas em vez disso posso mostrar pra ela um instrumento de belas-letras da firma "Usina de areia", que acho que ganhei do Sztorm em pessoa. Mostro, fica encantada. Digo que se ela quiser a gente pode apreciar um pouco da branquinha, porque depois de um dia inteiro gasto em cálculos, em lanches de business, que de costume são fartos, repletos de gordura ruim pra saúde, gordura no mais das vezes americana, coisa queimada. Alface holandesa com adubo de bosta de cachorro. Que depois de todos esses banquetes diários, desses bufês, depois da leitura diária dos jornais e das revistas tô cansado, sofro de um cansaço crônico. Nisso ela diz que o Robert nunca ia deixar. Aí já tô um bocado irritado e digo bem na cara dela: você veio aqui comigo ou com algum piedoso São Robert filho do Zdzisław? A gente vai puxar um pó ou não vai. Um dois três é sua vez. Nisso faz a maior cera, resmunga com ela mesma, põe o casaco. O Barman me pisca o olho. Que o Esquerdo venha me piscar o olho e eu mato ele mesmo e a família dele toda inclusive os primos.

Tá tudo certo, a gente vai lá pra fora do bar. Querendo ser protetor, proponho pra ela que qualquer coisa com o Robert Sztorm eu tô aí. O Robert Sztorm tá com uma visita garantida no cafofo. Os garotos vão pegar tudo dele de graça e ainda vão ficar contentes. Depois vai poder tranqüilamente resgatar tudo na revenda a dinheiro ou em prestações, por isso prejuízo ele não vai ter. Em particular por ser com certeza um ricaço de direita, um explorador dos trabalhadores na firma dele. União Cristã Nacional de carteirinha. Informante tapado, LM russo. Ela pergunta como isso seria. Explico pra ela de um jeito figurado. Entram dez na casa dele, geladeira, equipamento radiofônico, áudio vídeo, todo o hi-fi vai pro céu e vai ficar esperando ele lá no céu mesmo. Se ele chegar lá, claro. Mas na maior parte das vezes não matam. Só fazem uns carinhos nas tíbias com uma chave inglesa. Os bobes se forem bons, cartucho pra impressora, secadora, roller, máquina fotográfica, computador inclusive com o teclado, com o mouse, com a mulher, com os cristais se tiver, com a torradeira. Pra nem falar nos outros eletrodomésticos e eletroeletrônicos, tudinho.

Nisso ela cala, não sabe direito o que dizer, e fico contente por causar nela uma impressão tão fulminante. Preparo pra gente em carreirinha e pergunto se ela tem uma piteira ou então alguma caneta. Diz que tem. Digo pra me dar. Aí ela me dá. "Zdzisław Sztorm. Usina de Areia". Aí digo: puuuta que pariu. Nisso ela: o quê, é russa, falsificada? Eu então: não, não é isso. É até boa. Só uma simples caneta como qualquer caneta. Mas vocês mulheres são todas uns trastes, uma carniça, um encosto. E ainda vou dizer pra você uma coisa. Já não quero mais ter mulher nenhuma, mesmo que grude em mim feito um visgo. Porque todas são simplesmente umas putas. Uma vez por mês quebram e não querem funcionar. Todas têm pelo menos um exemplar da caneta "Zdzisław Sztorm". Agora chega. Mesmo que uma mulher peça, ajoelhe pra ser comida. Aí vou dizer pra ela: ah não. Se escafeda de mim. Do coração e dos olhos. Quer dizer, não com você, de jeito nenhum. Pra uma outra cachorra que venha me aparecer. Não vou mexer um dedo, nem no pé nem na mão. Aí ela olha pra mim como se quisesse ser comida neste minuto, bem aqui na frente do bar, junto dessa parede. E me responde assim: Forte, você tá dizendo a verdade. Eu também não quero ficar nem com mulher, nem com homem nenhum. Porque não tem mesmo a menor diferença, com um e com outro é a mesma porra, uma grande amolação. Não tem sexo, não tem divisão entre mulher e homem. Não tem sexo oposto nem qualquer outro. Só tem filho-da-puta, só tem bebedor-de-sangue. Todo mundo independentemente do sexo que recebe no nascimento é da mesma laia. Você sabe qual? Da laia e da raça dos filhotes-de-puta, simples filhos-da-puta potenciais. É isso o que você vai ouvir de mim. Uma só raça, a raça humana.

Então digo pra ela: agora chega de tanto falatório e dê logo aí uma cafungada. Ela manda pro nariz, primeiro de um lado, depois do outro, correm dos olhos dela umas lágrimas incolores. Depois é minha vez. A gente fica parado um tempo. Pergunto se já fez isso antes. Diz que não até o fim, não completamente. Aí penso cá comigo que é agora que vai começar a viagem, a Angela assim no olho tem no máximo uns trinta quilos de massa viva. As mãos dela são mais ou menos como o martelinho e a bigorna no meu ouvido. De repente ri, parece até uma psíquica. Diz que só agora é que ela tá legal, que tá se sentindo animada, que as idéias dela tão parecendo mais definitivas.

E que vomitada ela dá! É vômito anfetamínico, de coice, voando longe pra frente. Fico de cara com o tubo, igual a todo mundo que tava por perto. Uma acrobacia alpina dessa eu nunca vi com meus próprios olhos, nem por causa de vodca, nem por causa de fumo. No sério, ao pé da letra, quase mijo de rir. E o que é mais estranho, a garota em pleno vômito também acha a coisa engraçada. Acho estranho, eu no lugar dela não ia estar contente assim não. Mas ela se acaba de rir. Entre uma vomitada e outra grita na minha direção: satããããã! Depois continua a vomitar. Parece até que vai explodir de dentro da saia de camurça e cobrir o mundo inteiro desse vomitório, até fazer eco. Esse ia ser o reino dela, o reino de satã, pelo qual por toda sua amplidão ela ia estender cordas pra secar roupa onde ia pendurar as saias pretas, as meias-calças, as calcinhas pretas e a coisa mais importante, ostensiva até no caráter dela: o sutiã preto. Uma anormal dessa eu nunca ainda tinha encontrado na minha vida inteira.

Apesar de ter me aparecido uma ou outra que vomitava, a Magda por exemplo, mas ela fazia o negócio assim escondido, meio que de lado. Chega de sabichonice quanto à Angela. Fico olhando pra ela. Quanto é que uma tripinha miúda assim, uma desgraça magrela dessa pode vomitar. Horrível. Montanhas, mares, paisagens inteiras, tudo no mesmo tom do drinque dela, um azulado exótico de Bols Curaçao. Mais umas comidas lá sem compromisso, assassinato vegetariano de alguma planta desconhecida. Mas isso é só uma porcentagem de nada, e o resto todo é um oceano turbulento e azul de vodca varrido por uma tempestade. No que me diz respeito, porém, eu não ia estranhar se isso que ela vai dispensando pela boca fosse esmalte preto, rímel preto, pincel atômico preto mordido. E também lápis preto e brilho, tinta preta pro cabelo com aplicador e tudo.

Oquei. Voltamos pro boteco. A Angela vai se lavar da gosma que ficou, dos detritos. Olho pra ela. Não é de se. Mesmo suja. Anormal. Mas alegre, engraçada, chegada num riso, inteligente. Numa palavra, legal, mesmo com todos os pesares. E aí, Forte, diz o Barman piscando o olho. Deixe ela pra lá, vai vomitar sua casa inteira. O que neste momento me magoa, me irrita. Porque é grosseria o que ele diz, é brutalidade, apesar de ter observado todo o ocorrido exclusivamente pela vidraça, e de não conhecer os fatos.

Não quero vir de grosseria feito ele, mas em relação a Angela não posso permitir que seja tão desleal. Porque é tão magrinha que o mais leve sopro que eu dê, que um sinal que eu faça com o dedo é capaz de derrubar ela da banqueta e de levantar a sainha dela. A Angela volta. Digo pra ela: a gente tá indo. Ela nisso: mas por quê? digo que tô até o pescoço com esse lugar, onde cultura e arte não tão com nada. Ela olha pra mim, porque talvez até tenha se apaixonado por mim, se apaixonou desde a primeira impressão que fiz nela. Diz pra mim: pois é. Por outro lado tá com as sobrancelhas pretas que parece até carvão, o que percebo na hora. Mas decido não olhar ali, porque nela a alma é mais importante que o corpo. Apesar do corpo ser importante também. Se bem que tão fraquinho, tão magrinho. Diz que gosta de passear, nem que seja de noite. Que amanhã é Dia Sem Russo na cidade, maior festa, e se vou dar uma volta com ela. Penso comigo, beleza: Dia Sem Russo, a Magda na certa não deixa de ir, nem que seja pra arranjar uma anfa mais ou menos de graça com os babacas aqui do pedaço. Mas digo apesar de saber que vou encontrar a Magda, que isso vai envenenar minha alma e meus pensamentos, digo pra Angela: a gente vê. Ela pergunta o quê. Digo que é a maior merda, que depende de várias condições, o tempo, a pressão do oxigênio, depende por exemplo de quais vão ser as condições com a verba, que muita coisa pode rolar. E pergunto pra ela se vai comigo pra minha casa.

Diz que talvez sim e talvez não. Reparo na saia dela as manchas esbranquiçadas que se formaram quando tava vomitando e respingou, a saia ficou completamente manchada na frente. Digo que tá com uma meleca ali no decote, e ela olha logo esperta nessa direção, transbordando de speed apesar do vomitório, e diz pra eu beijar ela na boca, porque sempre quis fazer isso numa ponte, sempre, entre árvores. Ela diz: me beije bem na boca, é isso mesmo que eu quero, sempre quis fazer isso no meio de uma ponte, entre árvores e arbustos. Sempre quis fazer isso. Agora eu sinto. Não sei de onde é essa influência em mim. É influência de você em mim. Uma pequena loucura pelo menos uma vez, algum espontaneísmo mostrado no momento em que menos se esperava. Por exemplo no elevador, na praia, em algum lugar onde ninguém espera. Porque a vida é tão curta, Forte, e a morte perto, cada vez mais perto, ofegando bem na nossa cara, a esquelética com sua pelve amarela, com seus olhos roídos. E não diga que não, porque é assim mesmo, degeneração completa, decadência universal completa de tudo. Despotismo, depravação. Forte, mais dia menos dia a gente já não vai estar vivo, mais dia menos dia você e eu vamos morrer. E pouco importa se vai ser carne envenenada, água envenenada, PVC, se a direita, se a esquerda, se os russos, se os nossos. Eles vão matar a gente, e depois vão matar a si mesmos e comer de sobremesa uns aos outros em um prato só. De sobremesa. Porque o prato principal vai ser outro. Belos animais selvagens das espécies em extinção, êxodo de cervos na iguaria, extermínio de tigres em conserva e de girafas comidas com talheres descartáveis feitos dos ossos delas mesmas. Tudo isso tá acabando, morrendo. Existe só a gente, só você, só eu. Em geral eu faço poesia. Escrevo uns poemas. Às vezes consigo ficar sentada uma eternidade. Riscar, rabiscar até perder a conta. Escrever de novo de novo. Por enquanto pra gaveta. Mais tarde pra leitores mais amplos do mundo todo, quem sabe até os descendentes de poloneses na América. Sem sacanagem, eu tenho uns tios lá. Titio e titia, uns canadenses simplesmente de primeira. Alegres. Safos. Eles têm lá uma lojinha pra comunidade polonesa. Negócio pequeno, mas lucrativo. Receberam uma herança. Foram em frente. A titia vendia, mesmo com as agressões por parte dos autóctones. O titio importava. Sabe, umas bonecas russas, uns ícones nacionais autênticos que saíam feito água. Discos e publicações do grupo Mazowsze. O Vader também saía. Eu gosto dele. Mas as bonequinhas saíam melhor, matrioszki, kilimki, kukły, marzanny. Além disso adoro bicho. Assinei um tempão aquela revista *O Meu Cachorro*. Sabe que revista é? Não? Estranho. Pois é, é uma revista sobre animais. Sabe. Vários, domésticos, de carga. Tem lá uma porção de curiosidades, sabe. Engraçadas. Quanta água o camelo pode carregar na corcunda, quantas provisões de reserva. Sabe por exemplo quanto? Não? Simplesmente um monte. Um montão enorme. Ou um cachorro, quais são os sintomas quando ele tá com verme.

Esfrega a bunda no tapete — interrompo sombriamente por autópsia. Também tenho cachorro.

Ela nisso indignada: não é só isso não! Tem um monte de sintoma. Dor no ânus, perda do pêlo, vômitos, nariz seco. Odeio os assassinos de animais. Quando assisto a programas sobre como tratam os bichos na Polônia e no mundo tenho vontade de morrer. Uma vez eu já quis morrer. Aí destruí todas as cartas que recebi do Robert. Tudo. Foi tentativa de suicídio. Que não deu certo, aliás. Tô falando muito. Quero dizer tudo, agora eu sei. Porque a vida é curta, Forte. E se naquela hora eu não tivesse vomitado tudo que é panadol do mundo quando já tava pra morrer a qualquer momento, seria ainda mais curta do que é. Meio ano mais. Porque já passou um período de meio ano desde aqueles acontecimentos. Degeneração. Degringolada. Escrevo sobre isso nas minhas obras. O mundo é mau até a medula, e eu quero morrer. Mas agora ainda não. Quero morrer pulando do telhado e gritando: vão se foder. Quero morrer debaixo das rodas de um trem à toda. Ele vem, e eu atravessada nos trilhos, ele buzina, eu nada, ele me atropela, eu nada, zero de reação. Só depois as fotos nos jornais, todos se desculpam, todos se culpam, o Robert é o mais culpado, porque foi ele que me levou a esse extremo, me degradou, me destruiu como ser humano e como mulher. Necrológios, epitáfio, discursos. Forte, e agora a pergunta da noite, você tem coragem de morrer comigo? Entre cinzas, entre ruínas e restos de incêndio. Que vão se espalhar ao redor da gente como uma paisagem de destruição. Satã vai arrastar suas patas em cima de tudo que encontrar. Vai tocar na gente também, e aí esse filme acaba. A terra vai se abrir na cara do nada. Fim. Completa decadência, completo decadentismo. Serpentes, seios abertos de mulheres. Não me diga nada, não quero saber sua resposta. Prefiro me iludir que isso vai acontecer um dia. Mas não sei quando. Agora ou depois. Quando olho pra você, fico pensando que você não me escuta. A gente andando assim. Você não diz nada. Tá calado.

A Angela era virgem. A coisa ficou clara mais tarde. Quando ela já tinha sujado a cama dos meus pais. Com a Magda eu nunca teria topado uma profanação antifamiliar dessa. É uma outra história que nunca tive antes nem depois com ela esse tipo de problema. Mas a coisa aconteceu mais tarde. Antes de acontecer, muitos outros eventos ainda se passaram. Só vou mencionar ainda que a Angela claramente não dava a entender que era virgem intocada. De jeito nenhum. Frisou que com o Robert tinha rolado tudo que podia, daí, apesar de ser ainda muito nova, pensei que todo o barraco fisiológico tinha se desarmado junto com ele. E o que se viu é que o Robert Sztorm deixou esse baile de sangue pra mim, e por isso vou amaldiçoar o nome dele pelo resto da minha vida. Mas sobre isso mais tarde.

Primeiro foi assim. A gente vai pra minha casa. Ela sem parar na cantilena. Que nem uma caixinha de música, só que ainda pior. Que se eu pudesse, se isso estivesse nas minhas possibilidades, eu arrancava dela de volta pelo nariz aquela mercadoria. Depois guardava no pacotinho. Depois fechava hermeticamente e escondia de tal maneira que ela nunca mais ia ver aquilo na frente dos olhos. Porque até a visão do troço poderia provocar nela essa avalanche de vocabulário que ela usa sem parar, sem qualquer limite. Não digo nada. Nem metade de uma meia palavra não digo. Não quero estragar nada. Escuto tudo que nem numa confissão. Primeiro foram os filhos-da-puta dos políticos, que não interessam nada pra ela, os matadores de criancinhas, os bebedores de sangue. Mas depois começou de novo com aquela história de sexo, que não tem sexo, não tem genitais, não tem mulher, não tem homem, são esses filhos-da-puta dos políticos. Matadores de criancinhas, de recém-nascidos, bebedores do sangue da nação. Degradadores do meio ambiente natural, assassinos de animais sem culpa nenhuma, pros quais ela diz não. Depois de novo na berlinda satã e sua corte, o mundo consumido em fazer o mal e o fim iminente, o cavaleiro do apocalipse num cavalo carnívoro. A beleza da natureza natural. Parques paisagísticos, excursões de bicicleta, passeios na montanha e na praia, a estrela dourada dos guias turísticos, cartas e cartões-postais dos amigos de toda a Polônia.

Pergunto se quer um chiclete ou alguma bala, porque a gente tá justamente passando por um posto da Shell, depois do que sem qualquer sinal claro dela de que concorda eu compro jujuba em formato de ursinho e bubbaloo. É uma artimanha terrível da minha parte, mas meus nervos tão em pandareco, em petição de miséria, e pra me emputecer falta pouco.

Aí a gente já vai chegando na quadra. É tarde da noite, tá escuro. As folhas se agitam no vento. Ela masca, mastiga. Aos poucos, apesar de eu ter querido dar mais pra ela, queria enfiar tudo nela de uma vez. Mas aí com uma quantidade tão grande o corpo miúdo e doentio dela ia estourar e nesse caso tudo perdido. Precisava ir sozinho pro cafofo e deixar ela aqui em pedaços, ou então ligar do celular pra polícia, dizendo que acabei de matar uma senhorita por inoculação excessiva de jujuba. Iam pensar que tô fazendo um evidente trote telefônico e nesse meio-tempo ela ia se finar bem aos meus pés. He, he essa imagem da própria morte ela não previu nos seus devaneios. Eu bem que diria o que ela merece ouvir, mas não quero estragar nada.

Destranco a porta, ela diz: casa bonita, moderna. A da minha tia no Canadá é parecida, só que é melhor, canadense, a porta abre na vertical. Esse siding é russo? Russo ou não, siding em geral é bom, se bem que às vezes dá de cair quando ninguém espera. Isso depende de quem fez, os russos não tão muito à frente nisso nos mercados mundiais.

É isso que você acha? — interrompo calçando gentilmente as pantufas, que também dou pra ela, só que menores, da minha velha.

Eu mesma não sei. Eu mesma já não sei o que penso, o que acho, sobre qual tema. Apesar de ainda ontem as minhas idéias serem fundamentadas, hoje à noite tô completamente fora de mim. É influência da lua nova, é influência sua também. E também desse pó que você me deu. É influência disso também. Tudo tá acontecendo muito mais rápido, tá tudo rodando em volta de mim feito um parque de diversão.

Me vem à cabeça que é um tema perigoso esse de parques de diversão. Perigoso pra cacete. Ela fica espiando na expectativa, imobilizada num meio-gesto, como se eu tivesse que pegar pra ela nesse exato momento umas caixas de papelão cheias de ferragens e velharias, depois construir aqui mesmo, sozinho com ela, um trem-fanstasma, uns carrinhos, uns aviõezinhos com metralhadora, depois o melhor seria se eu começasse a andar em todos eles, melhor ainda se junto com ela, um por um. Ou pelo menos se mostrasse o escritório escondido no armário que serve de divisória, as faturas, os papéis, o uniforme operacional pros planos de business, pros encontros de negócios. E é claro o prêmio business do ano de 2001, fundado pelo presidente Zdzisław Sztorm, oferecido pelo maior índice de consumo de areia numa região da orla. Melhor ainda se eu sentasse ela de um lado da mesa, depois eu mesmo sentasse do outro. E começasse a tentar convencer ela a adquirir um parque de diversão de excelente qualidade em condições e preços muito vantajosos. Em promoção, com abatimento, porque a gente é conhecido. Mas nada disso, Angela, jamais, esse tema não existiu. Por isso eu proponho um café, um chá.

Ela nada. Não quer nada. Assim em geral tá de dieta. Não come nada, porque ouviu dizer que assim é melhor. Beber um grão de arroz com seis copos de água fervente. De manhã. O mesmo de noite. No dia seguinte dois grãos. Em seguida três, quatro, cinco, seis, sete, oito, cada manhã e cada noite um a mais. É fácil calcular. O número de copos porém sempre o mesmo. Assim que se faz. Pra evitar a matança de animais, que pagam caro pela porra do nosso consumismo, pela destruição da vegetação, pelo desperdício de papel, pelo desperdício de dinheiro. Essa é a forma de protesto dela contra o mundo.

Aí me pergunta se quero morrer com ela. Abraçados. Eu de costas, ela de bruços ou vice-versa. Rosto no rosto. Mas antes, pra não sentir dor, se aturdir, se alucinar ainda mais. Pergunta se tenho pó. Eu penso: são Wajdelota da Lituânia, vem e leva ela de mim. Leva ela daqui mesmo à custa do fato de que eu passe essa noite sozinho e antes só faça uns sanduíches. Se bem que é bonitinha. Esbelta, conforme o gosto. Quando se gosta assim de um clima anatômico, vendo ali tudo que é tíbia, com certeza, esbelta. Mas cada um na sua. É preciso ser muito filossemita pra agüentar cada movimento de esqueleto dela debaixo da pele. Mas por outro lado. Da cara nem tirar nem pôr. Boca, nariz, tudo como deve. Atraente. Tento um pouco ir conduzindo ela pro assunto apropriado.

Você é muito bonita — digo. Podia virar atriz, até cantora. Ela nisso diz pra eu não ser bobo e se acho isso de verdade. Eu nisso digo: e como. Ela então se deita na cama, puxa os cabelos pro alto da cabeça, alisa a saia mais coberta de manchas que um bicho. Deixa cair no linóleo as pantufas da minha mãe e diz assim com uma voz sonolenta e sonhadora:

Você não tem uns conhecidos, Forte? Uns conhecidos, sabe, assim um presidente de firma com uns jornalistas? Que organizam festas, que decidem sobre arte? Você sabe do que eu tô falando. Saraus poéticos, vernissages, que me possibilitariam começar a vida como uma artista iniciante? Não tem a ver com despesas, que juntos afinal a gente pode pagar. Também não tem a ver com clandestinidade, porque isso não me interessa em nada. Tem a ver com fazer arte, cultura, saraus poéticos, vernissages, discursos. Tem a ver com ideologia.

Não — digo de cara fechada. Mas olhando pra ela, como ela roça uma coxa na outra.

Aí fica mais desdenhosa, mais seca. Diz o seguinte: o quê, não? Como, não? É só isso que você tem pra me dizer depois de eu ter vindo aqui com você? Grande presidente de sociedade anônima. Grande engenheiro técnico com mestrado. Produtor de parques de diversão russos. De estradas de ferro elétricas, de

Patos Donald com tração de mil watts. Firma, papéis, faturas, ternos. Imitação capitalista. Sociedade anônima fantasma. Zero de conhecidos, zero de raízes nos negócios. Zero de ligações com a cultura e a arte, zero patrocínio.

Depois muda o tom de voz pra um mais conciliador, mais suave: bastava um jornalista só. Nem que fosse de esporte, mas com contatos. Uma entrevista pro jornal comigo. Vamos supor que pra um jornal e uma revista. Não precisa ser local. Alguma coisa dá pra deixar na sombra, dá pra esconder. Revelar a tentativa de suicídio, porque esse tipo de coisa é sempre útil, ativa o assim chamado circuito entre o autor e o receptor. Uma foto em que vou ser fotografada exatamente assim. Ou então numa posição semelhante, mas a maquiagem mais forte, demoníaca, a luz adequada, o fotógrafo certo. Se divulga que na minha arte aproveito motivos do decadentismo, do demonismo. Do satanismo de Przybyszewski. Isso vende sempre, é moda. Se divulga que ainda sou totalmente novinha e já assim tão talentosa.

Nesse momento da conversa, que tava meio unilateral, é capaz que eu tenha cochilado. Porque os fatos seguintes não batem direito. Quer dizer que acordo já num outro momento da conversa da Angela. Porque justo naquela hora ela tá falando alguma coisa que não tem o menor sentido pra mim: então como é que fica com a gente, Forte, hein? Você vai falar com o Widłowy, o tal que tem mestrado? Você devia conhecer ele, ele também tá nesse negócio, distribuição de areia polonesa. É o mesmo ramo do Zdzisław Sztorm. Só que pelo correio e a prestação. E é mais figurão ainda.

O rímel da Angela é waterproof. Corrimento zero. Cílios espetados. Pernas arreganhadas. A saia levantada. As mãos enfiadas nos cabelos. A cara sonhadora.

Vou — digo gentil e univocamente.

Nisso como é que ela se arranca da cama, como vai voando pro banheiro. É outra vomitada, dessa vez é provável que já vomite o estômago e todo o aparelho digestivo. Que vomite todo o conteúdo da cavidade ingestora e digestiva. Inclusive o cérebro. Que devolva pro mundo o que deve por todos os tempos que se endividou nascendo. Com reajuste ainda. E acréscimo grátis ainda. Um vômito digestivo mais ela mesma dentro dele. É o que fico imaginando. Ao mesmo tempo perco a paciência. Fico pensando se é mesmo bonita. Fico pensando se não é louca. Se vale a pena me meter nisso. Se mando ela embora. Dizer que recebi um telefonema assim e assado da agência de publicidade, do escritório de manufatura e transporte. Que preciso resolver certos assuntos em caráter imediato. Com relação a uns papéis, encontros de negócio em que a minha presença é absolutamente indispensável. Preciso assinar isso e aquilo, carimbar. Um assunto-chave pro desenvolvimento da minha firma. Capitalismo selvagem primitivo, é uma pena, té mais, apesar de ter sido simpático, bacana da parte dela entrar um pouco, aqui o casaco, aqui as botinas cossacas, tchau, não vou estar na cidade por um ano. Conferência de produtores de parques de diversão em Baden-Baden, festival de areia em Nova Huta, a lei demoníaca do capitalismo, é, a história é essa. Mas alguma coisa me tenta, me atormenta. Ficar sozinho na casa escura desencoraja, apavora.

Aí tudo pimba! e de uma cartada só. Pimba! apago a luz toda. Pimba! atrás dela pro banheiro, onde o barulho é de sodoma e gomorra, um verdadeiro clamor da natureza. Ela debruçada pela metade na banheira que nem um pano de prato preto. Vomita sem um instante de descanso. Entre uma vomitada e outra diz com uma voz dócil, quase súplice: satã. Satã.

E aí de repente, não mais que de repente, não se sabe de que lado vem uma verdadeira explosão. Uma verdadeira erupção da garota. Se propaga pra minha surpresa um imponente tinido. Uma pancada mesmo, um belo de um ladrilho comprado dos russos, a tal da terracota esmaltada importada pela Terespol por uma senhora grana, tremendo ali feito um choupo. O baque, a pancada, o tinido, o eco passa pelas cordas pra pendurar roupa, chega nos vizinhos, depois causa um irresistível tremor em toda a quadra.

Olho pra Angela, olho pra banheira. Onde bem no fundo uma pedra das dimensões médias de um punho humano rola de comprido até o ralo. A coisa me repugna, tô em completo choque. Tô apavorado, despido de qualquer orientação. Todas as idéias que eu tinha até agora sobre a condição humana desabam. Mil perguntas violentas a fazer pra mim mesmo, pra Angela.

Não chego porém a perguntar nada, porque um segundo depois da rocha vem o vômito seguinte. Dessa vez agora é uma chuva de pedras miúdas, feito cascalho, só que um pouquinho maiores. Quer dizer, são umas pedras assim normais, médias, que se podem encontrar a cada passo sem nenhum esforço especial. Fodeu. Puta que pariu. Livro Guiness. Campeonato mundial. Nowa Huta Katowice. Usina de Areia. Fodeu esse mundo. Tô sumindo daqui, literalmente. Uma menina com uma pedra dentro. Uma menina vomitando pedra. E o que ainda. E eu queria ela. Comer ela. Uma cavidade abdominal com um paralelepípedo. Depois disso, depois de pensar todas essas palavras súbitas que se amontoam na boca, faço um rápido sinal-da-cruz pra me benzer. Alguma coisa me ficou da minha carreira de coroinha na Igreja da Ressurreição. Uma certa inclinação pra superstição, pro exorcismo do mal. Às vezes me bate na cabeça o pensamento de que ainda bem que já não tô mais lá. Que o meu uniforme de coroinha ficou pequeno, apertado demais bem na hora, antes que aparecessem nas igrejas e paróquias os pedófilos e suas armas. Se bem que talvez pense isso sem razão. Porque se por exemplo não tivesse sido assim, mas diferente. Quem sabe eu ia ser agora um outro homem, com essas e não com outras preferências. E ia ter aqui agora um merdinha simpático, um Markus, um Eryczek, um Maks brincando de montar. A gente ia brincar, eu ia mostrar pra ele a cidade da sacada. E eu ia ter sossego, a consciência limpa. Em vez de uma Angela na puberdade recheada de pedras de verdade, engolidora de pedras. E quem sabe o que mais. Talvez de fogo, talvez de areia, o que já sugeria a grande intimidade com o Sztorm. E quem sabe o que mais além disso. Mas não é assim. Tá aí a Angela debruçada na banheira sem fôlego. Espero uma explicação. Espero suas explicações, menina. Não come carne, mas come pedra. Você é anormal. É pirada na boa. É psíquica na boa. Agora me explique isso aí.

Você gosta de um pedregulho? — pergunto pra ela meio puto, cheio de veneno por ela ser tão abilolada, por minha vida parecer neste instante uma alucinação galopante, uma verdadeira paranóia. E aí, Angela, você gosta de comer um pedregulho, hein? Baixo teor de calorias, entendo muito bem, na sua dieta é uma iguaria comer uma rocha assim. Venenoso, mas que porra, nutritivo. Diga aí que tipo é você. E não me venha aqui com histeria, com enrolação, você é uma pirada do município de Piradowa e agora finalmente admita isso uma vez com franqueza!

Mas ela não responde. Fica dependurada na banheira feito um defunto empretecido. Que noite cheia de medo, emoção, perto disso tudo o mais é sopa. Com essa Angela na área tô sujeito a uma doença coronária, a um infarto do corpo inteiro. Agora até, mesmo com ela inteiramente inerte, quem sabe inclusive morta, nem tenho mais da minha parte nenhum pensamento do gênero que os homens podem ter em relação às mulheres. Agora ela não é pra mim nem homem, nem mulher muito menos, nem sequer uma filha-da-puta de uma política. Ela é um óbito pavoroso pendurado na minha banheira nas pantufas da minha própria velha, que passa dias e noites inteiros correndo no Zepter na distribuição e propaganda de cosméticos, lâmpadas medicinais, panelas. É asqueroso da parte dela o que me fez. Com repugnância passo por cima dos membros inertes dela e vou tirando do abismo da banheira as rochas maiores. Depois vou jogando pela janela que dá pra calçada, no escuro da noite repleta de perigos, sibilos, estrondos. A noite elétrica e suas descargas, a noite de alta tensão. A coisa é tanto mais insensata, porque vai que tenha acertado alguém ou alguma coisa viva, passando justo nessa hora. Porque das entranhas escuras da noite ressoa uma explícita pancada e um grito. Só que aí, já sem nervos pra algum conflito com pilantras vagabundeando pela noite, bato a janela e vou ver televisão.

Na televisão nada, se bem que no armário acho um leite de passarinho que mando na mesma hora. Porque depois de todos os acontecimentos da noite de hoje fiquei categoricamente com fome. Penso um minuto na minha mãe, nome de solteira Maciak, Izabela, de casada Vermska. Que comprou hoje esse leite de passarinho pensando nela mesma, mas aí zás-trás, entrou em casa, soltou a cachorra, bolsa, terninho e já tava na rua de novo. Numa folguinha no trabalho ela comeu um quarto, depois comeu mais um meu mano, que toda hora tá ameaçado a cada passo de se foder e acabar no xilindró. Pelos vizinhos, a família, os primos. Aliás ele não dá muita bola pra doce. Faz a dieta do ovo. Quer dizer, pega dez ovos e come a clara de um por um, jogando fora a gema e as cascas. Ou então dependendo do humor põe numa tigela e dá pra cachorra. Porque ele precisa de muita albumina pra se desenvolver, leite com leite. Não sabe o que tá perdendo, porque é bom esse leite de passarinho. Esse também é um daqueles produtos que podiam causar furor nas mesas da União Européia inteira. Que podiam conquistar o mundo inteiro, inclusive a Antártida. Qualquer um vai dizer pra você, se indagado, que não existe esse negócio de leite de passarinho. Porque logicamente falando há séculos se sabe que nenhum passarinho dá leite, e se desse, isso há muito tempo já ia estar industrializado, legalizado, posto no batente. Mas aí você diz pro sujeito: pois é, mas leite de passarinho existe. É só ir pra Polônia, onde se acham ainda as belas fachadas antigas de Wrocław, Nowa Huta, da Estação Central de Gdańsk. Onde se acha a melhor areia, pelo melhor preço o quilo. E a bufa ocidental no seu bolso. Vão vir excursões inteiras. Aluguel de ônibus — mais bufa. San e Jelcz, os piores, os mais baratos, mas exóticos, daqui mesmo, os hóspedes estrangeiros gostam dessas máquinas do tempo ultrapassadas, dessas relíquias, com o perdão da palavra, da dinastia dos Piast. Vão andar de Jelcz, Cia. Estatal de Transportes Rodoviários Kamienna Góra, tudo certo pra eles, mais bufa e mais nota. Um caneco de barszcz quentinho, creme de cogumelo, de cebola, até sopa chinesa — o motorista serve uma água quente qualquer — mais uma nota complementar. A porcentagem rola solta, o caixa transborda. Noites de boas-vindas pra cada grupo com leite de passarinho nas mesas, esse é o ponto culminante do programa. Conhecer a

população local autóctone. À venda estoques inteiros de leite de passarinho. Passeios à fábrica de leite de passarinho, inspeção dos processos produtivos. Tapeação, é claro, mas os visitantes gostam.

A população da nossa cidade vai estar montada na nota. Vão pagar pra que liquidem os russos desses terrenos. Vão subornar funcionários pra eliminar os russos da lista de moradores, dos bancos de dados pessoais. O Dia Sem Russo vai ser todo dia, e festas também, foguetes, festivais anti-russos, folhetos, queima de fogos de artifício coloridos que vão formar os anúncios: "russos pra Rússia — poloneses pra Polônia", "devolvam as fábricas aos operários poloneses", "abaixo o siding de produção russa", "Putin, leve embora seus aleijados". Mas isso pouco me interessa, isso já não é minha área. Eu mais que todo mundo vou estar montado na nota, vou fazer negócio no comércio de bandeira branca e vermelha, de adesivos. Depois pago pra eliminarem a Magda da cidade e vivo feito um rei, entre mulheres, me servindo de taças de vinho na frente da televisão. Todos tão contentes, se bem que os russos nem um pouco. Com o resto da verba financio a criação de um partido de esquerda pra valer. O primeiro partido anarcoesquerdista sério. Uma corrente anarquista de salvação da esquerda. É isso que vejo. A maior fachada da cidade, bandeiras, estandartes, gramados. Um belo prédio europeu de escritórios em cores claras. Eu primeiro secretário, meu mano presidente, se bem que se ele é mesmo anarquista ainda vai se ver, ainda tem que fazer ele entrar nessa. Minha mãe contadora, elegante, apesar de já idosa, full competência, uma seção separada pro controle da anarquia, uma poltrona separada, persianas verticais. E um monte de secretárias, pessoal e serviço quase tudo secretária. Secretárias maravilhosas deitadas nas escrivaninhas com as saias de escritório arregaçadas até a

cabeça, de terninhos, blusas desabotoadas, meias abaixadas, todas querem uma coisa só. Faxineiras maravilhosas rastejando
nos meus pés, de aventais levantados. Em tudo que é lugar máquinas de anfa, que após a leitura de um cartão com um chip
despejam montanhas de anfa direto no nariz. Aí nessas condições posso ser o bom titio Forte, levo o Barman de motorista, o
Esquerdo pro serviço técnico, o Kisiel pro almoxarifado, o Kacper,
vamos supor, como jardineiro. As secretárias anarquistas dão ali
mesmo nas mesas, nas cadeiras, o que estiver na mão, fazem
um bom café com creme, trazem comida de bandeja. A Magda
de faxineira, limpando com a própria língua a sujeira mais imunda dos azulejos. Lá fora pela janela só dias bonitos com tempo
ensolarado. Dou as ordens: tantos e tantos adesivos a gente
manda pra Słupsk, tantos e tantos broches pra região da orla,
tantos e tantos lenços pro leste, tantas e tantas camisas pretas
pra Szczecin. A economia vai bem. Todo mundo vive bem, até
os operários oprimidos, pra quem a gente arruma o que eles
precisam, inspiração pros temas das greves, das assembléias.

Mas já não consigo continuar a pensar nesses belos momentos de derradeiro triunfo da esquerda, uma ostensiva ereção vai
tomando conta das minhas calças. Digo na direção dos meus
quadris o seguinte: é, george, você sabe mesmo o que é bom pra
gente. E é desse jeito que você sorri. Pra mim. Porque esse plano agrada você, especialmente a anfa. E mais ainda as secretárias
espalhadas pelo piso. Então, george? Você ia querer sair pra um
passeio. Com certeza.

Infelizmente não vai ser tão fácil tomar ar fresco, mesmo
que você esteja tão terrivelmente a fim de um esporte como
você tá. Essa senhora que nós temos aqui é caso sério, caso de
óbito. Quem sabe até já nem esteja viva. Vomitou uma puta
de uma pedra. E é bem possível que tenha na sua bundinha

ossuda uma pedreira, que tenha tudo asfaltado, pavimentado. Você vai se ralar e quando vier mesmo a hora da ação com alguma bundinha de verdade de carne e osso, nem que seja a da Magda, aí quero ver você tão esperto como agora. Você só vai prestar pra um xixi anticoncepcional por meio de cateter.

E falando assim comigo mesmo, meio no cochilo, meio em voz alta, porque aquele atraso de vida não ouve nada, mesmo no banheiro, detono o leite de passarinho. E faça o favor, de uma vez, de repente é como se todos os meus desejos se realizassem na hora, o que nunca me aconteceu nem na porra da infância. Como se o bom Deus rei omnianfetamínico se compadecesse da minha desgraça.

Porque entre aqueles papelinhos que separam um leite do outro, pra não se colarem um no outro, pra não se desmancharem na temperatura ambiente e pra coisa toda ficar bem elegante, acho escondida uma pilha da minha albumina, minha rainha-mãe anfa. Aliás nuns saquinhos na medida pra mim. O que pelo que tudo indica meu mano malocou pro caso de fumaça com a polícia, alguma batida ácida pela casa. E a coisa vem perfeitamente a calhar, porque um estado de espírito ruim no esqueleto e na musculatura começa a dar sinal. Aí aproveito rapidinho a ocasião pra melhorar o raciocínio, o entendimento, a coordenação psicofísica. Porque anfa não é pacotinho de panadol, chazinho de melissa e dois dias de cama. É continuação da brincadeira.

Um, dois, caneta "Zdzisław Sztorm", fim da história, se acabou a dor. Na hora parece ter mais luz na casa. A escuridão fica mais clara. Mais transparente, iluminada.

Sem demora também vou ligando o aspirador. Com o cabo e o tubo. Pra Izabela Vermska, nome de solteira Maciak, não topar de manhã com um sif aí. Voltando pra casa depois do fim de semana. Passado entre contas no Zepter. Aí dou uma chegada no banheiro. Olhar como é que a Angela tá e se o george vai ter alguma chance de mudar seu destino miserável. Por enquanto ainda não. A Angela tá num estado nitidamente ruim, envenenada de pedras, atravessada na banheira sem esperança de um despertar a curto prazo. E admito que reanimação de cadáveres não é meu lado forte. Porque uma vez que tentei fazer isso numa mulher deitada carnalmente, os resultados foram dramáticos. Quer dizer, a mulher já tava morta antes. Isso me abalou paca. Tentar falar com um defunto de verdade. Foi uma experiência terrível pra mim, porque depois eu ia pro estágio, comia sanduíche com a mesma boca com que tentei reanimar a defunta. Mas direto pro assunto. Com a Angela tá uma merda fatal. Com o meu pé dou uma cutucada nela, tento animar ela de algum jeito. Mas nada, defunto, cadáver, inércia total. Por causa da anfa que achei nas entranhas do leite de passarinho, não desanimo. Com a cabeça dela pra baixo da torneira, pra baixo do chuveiro. É uma cabeça pálida, anêmica, devastação máxima, sem um pingo de sangue. A maquiagem waterproof indestrutível feito uma tatuagem. O rosto bem sem expressão, nem de raiva nem de alegria, não tem sinal de nada no rosto da pobrezinha. Isso mexe comigo. Ela até que podia ser assim, sem falar nada, sem aquela merda de conversa fiada que parece até movida à corda. Assim nesse estado silencioso eu seria até capaz de vir a ter algum sentimento por ela. Bastava só uma garantia certificando por escrito e com carimbo que ela vai abrir o focinho pra qualquer finalidade exceto o discurso articulado. Aí tudo bem, compro ela.

O george quer alguma coisa. Pula. Digo pra ele: se maloque aí, pilantra, não tá vendo que isso é uma reanimação? Por enquanto você pode sonhar com ela, porque o vomitório foi dramático. Se esconda agora, e logo que a gente despertar essa nossa branca de neve toda vomitada de pedra, aí sim, junto com ela vou ver se arranjo pra você alguma diversão mais interessante do que ficar sentado no escuro sozinho.

Aí de repente já sei tudo o que fazer. Rápido, eficiente que nem escoteiro em manobras. Tiro uma porçãozinha do leite de passarinho, mesmo que depois o acerto com meu mano seja duro, no punho e na faca de cozinha. Mas não, não vou desistir depois dessa vomitadeira ter me custado tanto trabalho. Pego aquela cabeça alheia e preta nas mãos, abro um pouco sua boca e sem dengo esfrego na carne que fica entre os dentes a mercadoria, boa, cara, uma mercadoria que talvez valha mais do que ela. Faço isso porque meu senhor george reivindica sua parte nesse latifúndio, a qual por todas as afrontas e experimentos intelectuais hoje sofridos indefectivelmente lhe cabe. Anfa, esse auxílio mágico pra desempregados. E na mesma hora, sem ter precisado esperar quase nada, enquanto vou lavando com a água do chuveiro toda a terracota esmaltada do raul de pedra que ela chamou, ela se reanima feito uma boneca russa andando com pilha nova. Recolhe as pálpebras pretas, debaixo das quais aparecem os globos oculares. Que há cerca de algumas horas era como se não tivesse. Olha pra mim bem lerda. Depois diz com um tom de descobridor da América, dos raios solares e do gás de cozinha ao mesmo tempo: Forte, é você? Bem balbuciante. Mas por acaso sei que o george tá no caminho certo pro consumo dessa, seja como for conhecida. Pego ela pelos sovacos e vou puxando pra cama. No caminho vai arrastando pelo piso as pernas mancas. Feito se tivesse por exemplo os braços cortados pela metade pra poder trabalhar de manequim numa loja de tecidos. Ainda assim eu também ia puxar ela, porque já não tô mais com saco de ficar de cerimônia, se a mulher por acaso não tá morta, ou então quem sabe viva, ou então simplesmente não tá a fim de falar. Ou então não decidiu por nenhuma dessas opções. Pro caralho. Se é do sexo feminino é do sexo feminino, a partir deste exato momento nenhuma grande consideração é indispensável. A Angela me diz assim: que merda é essa que você tá fazendo, tire as mãos de mim que eu vou sozinha.

Ou seja, a caixa de música tá funcionando, tudo em cima, um elegante retorno do mundo dos mortos ao mundo dos vivos e falantes, uma volta e como, no estilo mais aterrorizante, fanfarras, a tia anfa bota o defunto de pé. Já não me interessam merda nenhuma os rochedos que ela expeliu entre os acessórios do banheiro, do que que se trata aquilo eu não quero papo com essa desmiolada desesperada. Porque a carreira pseudointelectual e narcísica dela não é neste momento minha prioridade.

Não vou ficar de muita enrolação e passo de uma vez pro item principal, do qual se tratava afinal antes de mais nada desde o começo, contato homem-mulher. Porque foi isso claramente o que se deu. Antes no entanto de ter ocorrido esse fato claramente documentado, teve aí, como se sabe, uma boa parada. Uma parada que só depois dos primeiros socorros especializados que executei a Angelika reanimou esse rabo torto dela. Aliás, o rosto e o aparelho fonador. Não há modo de citar todas as palavras que tiveram lugar, porque logo depois de recuperar a vitalidade ela ficou incomumente falante em todos os temas. Gesticulação exuberante que nem um bosque imenso crescendo diante dos meus olhos a partir das mãos dela, das pernas, de partes do rosto. Muitas palavras diferentes, muita conversa da parte dela. Com quem, porque comigo não, né? Os mais variados temas. Oral que só, conversando sem parar, falando consigo mesma sobre tudo, sobre cachorro, sobre bicho em geral. Depois começou de novo com o satã. Já tá cansada desse estilo, sombrio, fatal, preferia ser assim completamente mais mediana do que é. Queria às vezes ser assim que nem as várias amigas dela da escola, umas garotas bobas, totalmente comuns, que vão pra escola e voltam da escola, e diversão zero, zero de pensamentos existenciais sobre a dimensão mais obscura que o mundo costuma ter, zero de pensamentos sobre a morte, o suicídio pra elas é impensável, porque são limitadas ao extremo, são fechadas pra novas tendências. E pra ela suicídio é sopa, um movimento com uma faca, um quilo de comprimidos e já não tá mais viva, e nos jornais os retratos dela com o mar ao fundo, de maquiagem, de cota de malha e entre drapês, nos jornais necrológios, pedidos de perdão, explicações, que tão jovem talentosa grande artista nos abandonou. Dizia isso, é claro que sem omitir os temas alimentícios, que desde nascença não come carne e ovos, porque são produtos de um crime.

Foi uma parada completa pra mim, porque eu tava assistindo televisão e não tinha absolutamente nada de interessante. Um pornô em mil canais, alemão, e aliás science medieval fiction. A ação era num castelo, um sujeito de armadura, e uma glamrock alemã papa-merda dando pra ele de uns jeitos sem a menor criatividade. Um clássico, só fígado e tripa, mas em vez da fonia, que pra manter o conjunto devia existir, a Angela ia introduzindo o mono dos diálogos dela. Merda. De cinco em cinco minutos a Angela se metia: porque é que tô rindo assim feito bobo? Eu tava ficando puto com isso. Porque se é pra assistir filme então é pra assistir, não vou ficar de conversinha pra perder metade da ação e não saber o que tá acontecendo agora, porque que que eles tão se comendo assim e não assado por exemplo.

Foi assim. Disse pra ela que tô rindo porque tô vendo ela aqui comigo e ela tá comigo, o que me causa grande alegria, muito prazer. Depois rapidinho eu tentava pegar o que aconteceu durante aqueles momentos da minha desatenção e o quanto tinha avançado a ação. Mas apesar desses repetidos atentados à continuidade dos acontecimentos, eu sempre pegava o que ia rolando. Porque tenho experiência nisso e na maior parte das vezes com um bocadinho de intuição dá pra deduzir o que num dado instante tá rolando.

Foi assim. Numa palavra uma conferência sobre a problemática do selo turístico e do cartão de desconto em todos os alojamentos na região subcarpática. Mais um segundo e eu meteria nas patas da Angela um guarda-chuva aberto e empurraria pela janela, que fosse planando pra casa dela.

Mas não foi isso o que aconteceu. Exatamente agora tô me virando na cama emporçalhada, mas antes de mais nada me lembro de evitar o lugar onde a Angela aplicou a chancela e o lacre da virgindade dela, que os diabos a carreguem. Me viro e fico pensando no que aconteceu depois.

O que depois aconteceu foi tão inteligente, que a Angela parou de saracotear pelo meu barraco inteiro, espichando esse olho preto dela pra dentro do armário, pra eu mostrar pra ela as minhas fotos pequeno e pelado. Só faltava essa. Eu nunca fui pequeno — disse pra ela. Sério. Já nasci grande e barbado, depois só aumentei um pouco, até nem precisei comer. Você tá inventando — ela disse e plof na cama. O george na hora, mas nem uma palavra sobre isso vou falar. Tá cansada? — perguntei pra ela. Responde que não, mas que em geral gosta de ficar deitada, de ficar deitada e sonhar. É, e vamos deixar pra lá o que ela tava planejando sonhar, com jardins ou com uma insígnia preta pro morador do distrito mais vestido de preto, porque de um jeito ou de outro me deitei bem junto dela. E vamos deixar pra lá com o que que ela continuou a sonhar. Tirou da bolsa a carteira com os documentos. Eu comecei. Mas sobre isso nem um pio, isso é assunto pessoal meu. Um tipo desse não se deve de jeito nenhum assustar, porque os trinta quilos de doida é capaz a qualquer momento de puxar da carteira umas asinhas dobráveis e sair voando pela ventilação prestar queixa na Delegacia da Criança e do Adolescente. É, literalmente. Com uma porra-louca dessas não tem brincadeira. Então é ir com calma, sem essa de superbrutal. Ela pega a foto de um sujeito deprimente que só vendo. Robert Sztorm — diz e olha toda sonhadora. Boa, penso, ela que se concentre em alguma outra coisa. E vou manipulando ali pra mais perto dela, mas isso é muito pessoal. Nisso ela começa a espalhar coleções inteiras de entulho, cartas pra uma amiga da Inglaterra que nunca respondeu pra ela. Porque talvez não fosse esse o endereço ou então a língua. Isso porque, diz a Angela, tem diferença entre inglês e gíria. Gíria é uma língua assim que também se usa. E por exemplo justo aquela inglesa falava gíria, e não entendia cartas em inglês. Ou então pensava que não eram pra ela, porque o endereço a Angela também escrevia em inglês. Ou então pensava que era alguma corrente e aí jogava fora com as cascas de batata e os lenços de papel usados. Deve ter sido isso mesmo — sussurro na orelha dela, pra ver se consigo interessar ela um pouco em outros assuntos mais importantes. Ela nada. Se eu tirasse a saia dela, só aí é que ia sacar, quando já tivesse levado um trato bem sadio, e talvez nem assim. Decido tentar esse caminho. Supercuidadoso. Ela o tempo todo de lado, fazendo quebra-cabeça com uns papelinhos, umas porcariazinhas. Isso é uma folha de árvore. Isso é uma pedra angular. Isso é uma guimba de cigarro tocada pelos lábios de Deus. Isso é a primeira comunhão dela, que ela cuspiu da boca e pôs pra secar, e agora carrega pra dar sorte. Isso é o primeiro cabelo. Isso é o primeiro dente. Isso é a primeira unha e isso é o primeiro namorado dela Robert Sztorm de perfil com uma espingarda de caça caçando na sociedade de tiro ao alvo. Vou seguindo em frente. As meias. Ela nada, uma apresentadora de televisão do Telexpresso, uma cabeça falante e da cintura pra baixo pode se enfiar nela um por um o exército polonês inteiro e ela nem pisca o olho. Essa é a Angela. Totalmente ocupada em falar. Que fale. Não vou ficar aqui de muita cera. A calcinha até colaborou pra tirar. Deu uma levantada no traseiro olhando um cartão que recebeu de uma amiga de Szczecin de férias em Hel. Dizendo que tá se divertindo de montão, muito ar fresco, tempo bonito, sol, violão, fogueira e muito bom humor, e PS, a música é boa pra tudo. De algum jeito foi. Fiquei com medo de que reagisse e na hora h se mandasse no maior berreiro. Apertado, mas quentinho, um dois três, meu rosto no cabelo molhado dela, que lavei na torneira por causa do vomitório mencionado anteriormente, doença grave, e o george canta calminho aquela canção de ninar dele. Ela mais ou menos, parece até cooperar comigo mas fico o tempo todo com medo de que me apronte uma outra com pedra ou coisa parecida. Ela conta que já gostou de colecionar selos, mas que agora acha isso infantil, o que o Robert aliás disse pra ela, e por isso muitas vezes aconteciam brigas entre eles.

E eu é que não vou ficar aqui de muita falação sobre isso. Eu é que não, depois os meus filhotes, meus e da Magda, ou se não for a Magda uma outra, pegam e acabam ouvindo, e ficam sabendo de que configurações puramente biológicas eles resultaram. Que eu, o pai deles, não achei nada com a mãe deles numa valeta junto da estrada durante uma excursão turística, mas que instalei eles nas tripas da mãe com a ajuda da minha ventosa contrátil que eu tenho. E o que que eu vou dizer pra eles. Que a gente não é gente, que a gente não passa de uns celenterados que se juntam de dois em dois e ficam lá fazendo uns movimentos repulsivos. Que nesses verdadeiros mares de fluidos biologicamente ativos ficam nadando uns vermezinhos de rabo que depois de repente ganham dentes, unhas, roupas, pastas, óculos. E se bem que esteja gostoso, de repente começo a suspeitar profundamente que alguma coisa não tá muito certa com a Angela. Que eu tô topando em alguma resistência interior nela, em alguma barreira fisiológica da parte dela. A coisa ainda se mostra.

Pois não é que de repente ressoa um tinido, um estalo, uma explosão, não é que de repente tudo fica meio solto como se eu tivesse penetrado dos pés à cabeça nalgum reino subaquático, não é que a Angela dá um grito, pula pro lado, e todas as porcarias que espalhou carinhosamente cobrindo metade do sofá voam pro ar? Ela estremece, se segura pela bundinha, se apóia numa perna e na outra. Fodeu, digo e rio, porque apesar de ter acabado e do prazer não ter sido completo, saquei na hora o que tava rolando. Já era a molinha da nossa Angela e agora ela vai ser uma coleguinha bacana, gente boa que só vendo. Do meio das perninhas de Sião dela vai cair agora mesmo a carapaça simbólica, que ela vai erguer e depois botar numa moldura dourada, que vai ficar dependurada na casa dela em cima da cama. E que ela vai xerocar e me dar de presente numa moldura igualzinha, pra eu colocar na minha mesa de presidente no meu gabinete de difusão universal da anarquia. Pra que durante os encontros de negócio eu mostre pro Zdzisław Sztorm o que o filho dele não foi capaz de realizar, e que eu, Forte, Andrzej Vermski, realizei.

Mas não foi o que aconteceu. A Angela tá em pé em cima de mim um bocado ridícula com a saia arregaçada, que nem uma recatada princesa do principado do hímen, e tentando pôr de volta no lugar a meia-calça ela diz: eu sou virgem. E na mesma hora, feito uma ilustração figurada, expele na cama um imponente novelo de sangue e um pedaço de carne crua. Nisso eu digo: dá um tempo, mulher, e acendo um LM vermelho russo da bolsa dela, pra descontar minha frustração e a atrofia precoce do meu prazer. Se bem que eu mesmo tô todo lambrecado de sangue, que preciso agora mesmo limpar e lavar, porque tô num estado em que sou capaz de acreditar que meu sexo foi roubado de mim por algum método muito do macabro e que agora sou do gênero neutro.

Que figura, essa Angela. O desespero em pessoa, trinta e dois quilos de desespero fumegante e de baque do espanto, me dá até uma pontada pelo george ser o causador de todo esse embaraço. Me dá até pena, porque mais de uma vez já se mostrou que de repente toma conta de mim o maior coração mole e nesse aspecto aí me derreto completamente. Às vezes com a minha cachorra Sunia, uma pinscher gorda que só ela. Mas sempre aviso pro meu mano não exagerar com as gemas pra ela, porque é por isso que vive com azia e esse peso em excesso.

Então digo assim, venha aqui, Angela, é o seu grande dia, dia de santa Angela. Ajeite aqui a calcinha, até o casamento isso cicatriza. Mas continua tão atordoada, tão baratinada como se eu tivesse no mínimo degradado os órgãos de fala dela. Não quer papo sobre cartões-postais, não quer papo sobre passarinhos bobinhos, como se os dentes de cima tivessem colado nos de baixo. Ao mesmo tempo fico pensando em pânico no que ela ainda pode aprontar aqui. Porque devagar já começa de novo uma baixa sinistra em mim, por isso não vou ter nem força nem ânimo pra limpar o que ela ainda pode sair espalhando no chão ou sei lá onde. Pedras mais uma vez, ou então agora alguma nova crise nessa doença interna que ela tem, carvão, coque, dinamite, tijolo, cal, isopor.

Não fique zangada assim, digo pra ela e abotôo a braguilha, que de qualquer modo já tá tão emporcalhada feito se eu tivesse tirado diploma de abate de gado de corte e de mina terrestre. Levanto da cama e pego a Angela pela mão, e a impressão que tenho é como se ela fosse não uma aluna do liceu de economia mas da escola primária, dançando num baile de carnaval fantasiada de coisa queimada. É a alucinação que me dá. Dou pra ela agora no máximo cinco anos, e nisso meu coração parte e se derrama pelo corpo inteiro. Aí sento ela na cama e digo: espere aqui um pouquinho. Arrasto uma mesinha cambeta, com guardanapo de patente russa, rendado e resistente a manchas. Ponho em cima o leite de passarinho, ponho um vaso com uma gérbera de plástico, ao lado o cigarro, full elegância, viagem no Titanic, concórdia, aperto de mão simbólico entre homem e mulher. Ela ainda um pouco entrunfada, revira com o pé aquele bordelzinho inteiro das lembrancinhas de todos os aniversários, de todos os beijos na mão e na boca. Já é quase de manhã, a Sunia se esgoela no jardim como se estivesse sendo morta, quer comer. Sunia, essa porra desse excesso de peso. A Angela, numa baixa braba depois de todas as experiências dessa noite, olha inconsciente pra dentro do cinzeiro, como se estivesse lendo seu futuro artístico nas guimbas de cigarro. E eu rapidinho pro que interessa, pra que tenha alguma lembrança feliz antes de desabar aqui completamente.

Então vamos aos negócios, minha senhora, digo pra ela, enfiando os dedos no leite de passarinho, pra fazer uma pequena, simpática carreirinha de consolação. Nisso ela faz um sinal intermediário com a cabeça, entre sim e o não. Eu digo: hoje é Dia Sem Russo. Não dá pra fazer nada, tá todo mundo lá na praça do mercado. Mas a partir de amanhã a gente dá um trato nesse seu trampo aí, minha talentosa. A partir de depois de amanhã telefono aqui e ali, um presidente, um premiê, um fotógrafo conhecido. Digo que o maior escândalo. Suicídio. Fingido, é claro, mas não interessa que seja de mentirinha. O que interessa é o público. É o que a gente vai armar. Minha agenda é lotada, mas alguns encontros, alguma pressão, tá ouvindo, Angela? Depois se descobre que foi salva do suicídio. Um grande talento salvo por médicos ruins. Exposição das suas roupas, conferência pra imprensa sobre que música você escuta, quais são seus hobbies no tempo livre da arte. E aí sem mais nem menos de um dia pro outro você já não é uma anônima, multidões querem ver você e querem ter sua personalidade, o Robert Sztorm amolece. Mas o Robert Sztorm vai poder no máximo tentar lamber você através da multidão de guarda-costas. E o que você tinha de algum valor de qualquer jeito já era. Sua foto na *Filipinka* bem no meio da capa.

Na *Filipinka* não — diz a Angela turva, confusamente, e arrota sei lá o quê, talvez pedra, talvez vedador, talvez lã de vidro. É a primeira síndrome de vida documentada da parte dela há cerca de meia hora. Fico pensando se ela não me empacotou aqui de novo. Então o que que eu faço. Carreirinha, "Zdzisław Sztorm", sentido e saudações. Aí digo pra ela o seguinte, pra tentar desviar ela um pouco desse negócio de suicídio: Angela, agora seja objetiva. A morte não tem importância, a morte não existe, não é possível que você acredite na morte, isso é só superstição. Doenças contagiosas — superstição, crimes automotivos — superstição, túmulos — superstição, infelicidade — superstição. Isso tudo não passa de uma ignóbil invenção dos russos, que eles divulgam pra amedrontar a gente existencialmente. O Robert Sztorm também não passa de uma marionete paga pelos russos. Delinqüência e devastação, tudo lenda popular, não tem nada de Arka, Legia, Polônia, Varsóvia. Isso tudo é time fictício a serviço do Nowosilcow. Staś e Nel também são armações pérfidas do príncipe russo Sienkiewicz pra uso do filme *No deserto e na selva*, mitologia grega. Eu, Forte, prometo isso pra você. Os próprios russos talvez até nem existam, isso ainda vai se ver. Vá até a sacada, do outro lado da janela tem um mundo novo melhor, um mundo especial só pra gente, nada de rede elétrica, nada de seringas, nada de incêndios, nada de carne. A própria Orquestra Vegetariana de Assistência Festiva conclama à coleta de novas pedrinhas pro estômago da Angelika de dezessete aninhos. Ei, Angela ... Angela, chegue essa bunda pra cá... levante aí... levante aí, pô!

Aí corro até a cama e tá lá. Merda da grossa, puta e caralho. Por isso tava sentadinha tão calada, sem nem um pio essa limpadora lacônica de chaminés. Porque escorreu toda de si mesma e foi pingando na cama "Bartek" da minha mãe, uma cama novinha comprada no ano passado, pingando em forma de sangue, se bem que do meu também deve ter parado alguma coisa ali, sem culpa é que não tô. Aí fico puto. Me emputeço mesmo. Vou arrancar e é agora a tomada desse mundo, vou arrebentar a rede elétrica, vou puxar o freio de mão. Quero matar ela aqui e agora, mesmo que eu tenha que emporcalhar essa cama americana inteirinha com o sangue dessa puta, que eu tenha que virar ela, abrir com uma faca e arrancar tudo que é pena de dentro, espuma, forro, mola, estripar tudo pra fora, pisar, destruir, matar, destruir. Puta caralho e se foda. Não, isso também já é demais, minha cara, sua carreira foi pelo cano, antes mesmo de eu conseguir mexer um dedo e apelar pros meus conhecidos, você já tá caindo, minha estrela, pra fora aqui e agora. Aqui suas botinas, cossacas de verdade direto do Cáucaso, aqui seu casaco, aqui sua venda ambulante de lembrancinhas, aqui suas pedras interiores. E agradecemos à senhora pela participação em nosso programa. Essas são as portas Gerda de fechadura automática, esquerda, direita, até a vista, o ônibus número três passa daqui a pouco pra pegar a senhora.

As mulheres todas são só umas cadelas. Elas mesmas não saem, ficam esperando escondidas. Até que me esquento e explodo e preciso chutar elas, preciso me livrar delas como se eu fosse um pega-moscas. Suspeito que seja possível que é uma única e mesma cadela disfarçada de vários trapos diferentes, ela cai em cima de mim sem parar, me faz de bobo com uns prazeres ali e depois apronta a maior zorra na casa. Todo dia, todo dia mais uma e ainda pior. Suspeito que ela more aqui por perto na quadra.

Sabe que não sou bom dos nervos. Chega e me emputece. E mato ela. E ela cresce de novo de um esperma canino e já na noite seguinte tá sentadinha firme e pronta. Ninhada russa. Talvez justamente aquelas russas que por eufemismo se chamam mulheres. E nós homens enxotamos elas daqui, dessa cidade, pra onde trazem azar, pestes, secas, má colheita, libertinagem. Destroem os colchões com o próprio sangue, que jorra delas a mancheias, sujando o mundo inteiro com manchas irremovíveis. O rio fiel Menstruação. A doença terrível Angelika. Pena severa pela falta da membrana virginal. Quando a mãe dela ficar sabendo, bota de novo no lugar.

Pesadelos. A Magda dá à luz uma criança de pedra, assim no olho uma menina de cinco anos com tique nervoso nos dois olhos. Criança — um monstro de pedra, que nem o Esquerdo nem ninguém vai reconhecer, a Magda quer vender ela pro circo, tá na minha frente, balança o carrinho, diz: ou eu, ou aquela, Forte, ou então vendo a Paula pro circo, escolha, ou eu, ou ela. Na caixa de correio um cartão da Angela, oi, Andrzej, tava sem saber se escrevia ou não pra você. Tô no inferno, hoje mesmo na volta pra casa cometi suicídio. Nada de especial. A gente tem toca-fitas, sala de recreação. Os colegas pelo menos são simpáticos, musicais. Quando eu ficar sabendo mais escrevo. Agora preciso ir, porque tá na hora da nossa chamada. Depois jantar, esconde-esconde, jogos de campo. Domingo satã aparece pra inspeção. Vai ter revista das barracas e conversa. Beijinhos, eu sempre vou guardar lembranças boas de você, se quiser pode me mandar coisas quentes (de noite é frio). Angela, PS.: Tchau!

Toca um telefone, toca um grande telefone bem dentro de mim, não sei onde ele tá, apesar de ouvir vozes de todo canto falando nisso, é pra você, Andrzejek, uns senhores, Andrzejek, uns senhores de uma comissão, estão conferindo se os seus órgãos servem pro comércio legal de órgãos no Ocidente, Andrzejek, por que esse nervosismo, esses senhores só querem ajudar, eles vão pagar direitinho, não tem do que ter medo, a data da operação tá marcada...

Eu acordo. Cego, surdo, mudo, que nem uma enorme toupeira arrancada de debaixo do chão, enterrada na cama toda ensangüentada. Vivo, mas como que pela metade, enfiado e fechado numa caixa de fósforos. Delay violento. Sino tocando em todo canto. Uma parte estéreo. A outra mono. Parece que tudo que nunca existiu tá agora na minha cabeça. Tudo que nunca existiu. Toda essa falta. Todo o silêncio, feito um terceiro interlocutor. Todo o fundo de algodão do mundo. Todo o enchimento, todo o isopor enfiado na minha cabeça. Engordei durante a noite. Tô tão pesado que eu mesmo não consigo me pôr de pé. Solução concentrada. Como se estivesse enrolado na cortina, como se estivesse enrolado na jaqueta e não conseguisse sair, como se tivesse metido a cabeça dentro da manga e não conseguisse tirar ela dali.

Como se a Angela tivesse posto as tripas pra fora em cima de mim, não da cama, e agora tô aqui, deitado, inchado, duplo, um coração duplo, dos dois lados, um fígado duplo, seis rins e um monte de tijolo oco.

E quando me levanto aí pelo meio-dia penso um instante por que minha velha ainda não voltou da firma do Zepter. Se bem que talvez tenha telefonado, mas não sei de nada. Tento imaginar por que não atendi ao telefone. Não consigo lembrar. Tento imaginar que situação afinal é essa, se por acaso sem mais nem menos tô vivendo sozinho nessa cidade, porque a espécie se extinguiu. E enquanto tô assim, a visão na minha frente é a casa inteira no melhor estilo bélico, paisagem depois da batalha. Fico pensando se por acaso a guerra já não aconteceu aqui mesmo na minha ausência, enquanto eu dormia, a batalha decisiva, o próprio comando central. Enquanto eu dormia os russos entraram na casa, arrombaram. Reviraram tudo com as coronhas das espingardas, apagaram a tiro dos quadros as paisagens com cachoeiras, os girassóis, e em particular despedaçaram o cuco com moldura de couro. Derrubaram da geladeira a Nossa Senhora de Licheń de plástico azul, a cabecinha voou longe, a água benta entornou no chão. Pisaram com o pé sujo na cerâmica do banheiro. Violentaram todas as mulheres que conseguiram aqui na cama, reuniram aqui o estado-maior deles, o comitê de assuntos copulacionais. Puseram os cavalos pra dentro, mandaram todo o leite de passarinho, foderam com o colchão e tchau, até a vista na próxima vida na Bielo-Rússia. Meu mano e minha velha levaram como escravos. E eu, com certeza me mataram, porque é essa mesmo a impressão que tenho, que é isso mesmo que fizeram comigo, me mataram com não sei que objetos pesados, na porrada, e ainda tô ouvindo dentro da cabeça ecos distantes dos golpes, dos disparos. Mas por que eu se a minha mãe fazia um negócio bem legal com eles, siding, painéis, o Zepter. Por que justo em mim eles foram dar porrada, por que bem na cabeça, que ainda agora mesmo tô sentindo que tá cheia da sensação de ferragem, de manivelas girando em torno do próprio eixo, de chapas metálicas encurvadas. Onde é que eles tavam

"Forte, não fuja da porra do assunto, porque seu canil não me interessa merda nenhuma..."

quando a Magda veio de idéia contra eles e professou abertamente uma ideologia anti-russa?

Mas alguma coisa mudou e constato isso quando abro a persiana. O mundo derramou fora da fôrma. O sol tá maior. Mais gordo, pançudo feito um parasita chupando a gente. Fode a vista. Sem dó. Apontado direto pra mim, iluminando direto a minha casa, feito no mínimo uma lâmpada da gestapo, abra o bico, Forte, você vai continuar a fazer uns pecadinhos aqui pra gente, porque senão a gente roda esse botão e você tá frito nessa luz assassina, sibilando, lambendo você com as lingüinhas brancas dela. O cordão da persiana range. Cortinas abertas. E tá aí o show. Tá aí o show que nunca esperei ver na vida. Porque shows assim não existem, esse tipo de coisa não tem em lugar nenhum do mundo. Não posso acreditar no que vejo. Quero me debruçar na janela por causa do choque, meus olhos se recusam a abrir e só vejo por uma fresta, o resto tá escuro. Aí meto a testa na vidraça PVC Asbesto, o que ainda provoca um eco, um refluxo, um eco terrível, o que subitamente faz tudo ficar ainda mais claro. E o que vou dizer ainda é que com os meus olhos, que já contei que durante a noite se cobriram de alguma pele de bônus, e por isso não tô vendo assim grande coisa, mas o que tô vendo eu tô vendo. E não é nenhuma alucinação na cachola, nenhum flashback de merda, porque é reality show o que tô vendo agora, real tv.

De repente não tem mais cor no mundo. Não tem. Falta. Roubaram as cores durante a noite. Ou sei lá o quê. Talvez tenham lavado. Talvez tenham lavado a paisagem do outro lado da janela na lavadora automática com um sabão em pó não muito indicado. Coisa que minha velha já me aprontou uma vez com uma calça jeans. Num dia eu tava com um jeans azul normal, e no dia seguinte tava branco, um bigstar branco normal com uma etiqueta branca, sem nada escrito. Fiquei puto, porque com a rapaziada, no pub eu tava acabado, qual é, Forte, veio pra santíssima comunhão, mas você tá atrasado, não tem mais comunhão, a comunhão já acabou, tá toda vendida, vá pra casa, ano que vem você volta.

Não interessa como foi com a calça. O que passou passou. Mas uma coisa é certa. O que quer que tenham feito, seja lá uma chuva ácida, ou alguma outra catástrofe ecológica com uma cisterna cheia de alvejante, ou um acidente com o Esquerdo quando ia passando com o golf dele cheio de anfa. A parte de cima das casas. O muro todo branco, coberto de cal ou de alguma outra porcaria. A casa dos vizinhos, que faturaram uma boa grana numas tretas com carros chapa fria trazidos dos russos, de repente branca também, de cima até a metade. Até a metade. Tudo branco até a metade. A maior parte das vezes metade das casas. E tudo que tá embaixo, a rua, tudo vermelho que só a porra. Tudo. Branco e vermelho. De cima até embaixo. Em cima anfa polonesa, embaixo mênstruo polonês. Em cima neve polonesa importada do céu polonês, embaixo associação polonesa dos açougueiros e salsicheiros poloneses.

E onde quer que eu olhe uma equipe de uniforme laranja tá zanzando com baldes de tinta, rolos, faixas brancas e vermelhas de advertência se agitam ao vento, pra que as gralhas não pousem e não caguem. Radiopatrulhas, uns carros, instalações, andaimes. Doente, o troço todo é doente, a cidade pode ser fotografada pelos sputniks direto do espaço, paranóia.

E quando vejo isso, zás no cordão e fecho a persiana imediatamente, até arrebento o cordão na minha agonia. Mas ficar assistindo a isso eu não vou. A isso não vão me convencer não, ficar vendo esse pornô com a participação de animais em branco e vermelho e de crianças em branco e vermelho, em torno dos quais ficam rodando uns degenerados da prefeitura pagos com o dinheiro dos nossos impostos. Dos meus impostos exatamente não. Mas da minha mãe, mesmo que há muito tempo eu não veja ela. E o meu estágio com a anfa foi tão bom que agora até com a pálpebra tô com esse problema: uma hora ela recua e vejo tudo, outra pega e despenca e só vejo a pele dela por dentro. É preta e é só o que vejo. Mas ninguém venha me dizer que essa cidade pintada das cores da nossa seleção, que isso é só um filme na baixa, que isso é doideira minha, produzida pela anfa fermentando dentro de mim. Isso ninguém me diz. Porque assim que fechei a persiana, tudo aqui dentro tá em ordem de novo. Suspiro com alívio e vou voando trancar a fechadura dupla da Gerda. Pra esses filhos-da-puta não se meterem aqui em casa, porque se me emplastam tudo de cal vão destruir a casa, o armário, o piso, talvez até a persiana. Fim. A Izabela não vai se recuperar nunca. O forro decorado no teto, recém-importado pela Terespol. Aí me tascam um lindo vermelho da cor do batom dela, pra ficar deitada de noite com um espelho e ver se combina. Não vão entrar aqui nem com o caralho, só se passarem por cima de mim, se me pisotearem e me pintarem de branco também. Por um momento me sinto um homem feliz e até penso em dar alguma coisa pra Sunia comer. Porque ela meio que parou de ganir. Mas depois logo em seguida concluo que vou precisar ir lá fora e de novo novamente essa fata morgana, feito uma epidemia branca e vermelha se espalhando pela cidade, essa varíola. Então sento. Melhor não andar, porque esse piso escorrega. Olho. Preciso admitir que enquanto isso não penso muito, não acho grande coisa. Admito até que não acho nada, porque agora tô sentado. Sentado. Na minha cabeça rola uma outra festa à parte. Tocam telefones, as rádios Varsóvia e Moscou tocam ao mesmo tempo, as luzes iluminam, um trem elétrico vai pra China, entra por uma orelha e sai pela outra, passando por cima de tudo que encontra pelo caminho. Todos os meus pensamentos, meus sentimentos.

E aí como que num só instante chega até mim toda a minha vida esparramada ali em volta, essa paisagem de pós-guerra com sangue no colchão, com sangue na minha calça formando literalmente uma espécie de mapa da doença, de tabuleiro de jogo, todos os caminhos de sangue seco levam univocamente pro inferno oculto na minha braguilha. Essas manchas brancas no piso são da Magda, da pasta de dente que ela cuspiu, e as vermelhas são da Angela, quando ela tava fugindo de mim fez essa porra. Uma chuva de papel de bala, uma chuva de pedrinhas, de dentes de leite, como se antes de ter ido pro inferno a Angela tivesse sacudido a bolsa dela pela sala toda.

Aqui, Forte, aqui, e não me diga que não deixei pra você nenhuma lembrança minha, aqui meu dente estragado, aqui meu cabelo quebrado, aqui meus cílios descolados, aqui minhas pernas dobradas ainda, aqui minhas mãos, aqui minhas pedras, guarde aí bem fundo, ponha pra secar, enfie nos livros, em celofane, em vasos, em molduras. E quando você pisar no piso é em mim que você vai pisar. Porque assim em geral já não tô mais viva, tô no inferno, tá chato pra cacete, satã diz que provavelmente também vão trazer você pra cá. Ele comprou uns hamsters pra mim agora, um casalzinho, o macho quer o tempo todo comer a fêmea, preciso ficar prestando atenção direto pra tirar ele rápido de cima dela. Não tenho nem vontade de aguar eles, tô tão entediada que bocejo cada vez mais.

Enquanto tô pensando isso, na mesma hora todas essas coisas, esses cartões, esses chicletes em forma de bolinha espalhados feito um jogo de habilidade manual voam na minha direção, e vou pegando tudo. Vou juntando, se bem que a cada vez que imagino que tô pisando na carne da Angela me dá uma fraqueza e preciso me apoiar nos móveis. Papéis, pontas de cigarros com as marcas pretas dos lábios dela, tudo pra dentro de uma sacola. Opaca. E pro guarda-roupa. Debaixo das minhas coisas, debaixo da barraca pra quatro pessoas e da tábua de passar roupa, pra que ninguém da família nunca toque nisso e não se contamine com esse veneno cadavérico.

Nisso de repente toca a campainha. Choque. Pânico. Quem sabe pegar meu tênis e me malocar no armário pra fingir que não tô. E essa zorra na cama e em toda parte, esse cordão da persiana completamente arrebentado, o leite de passarinho detonado, esse sangue escorrendo da cama pelo chão, pela sala até a porta, pelos degraus, pela calçada, pelo portão, pelo asfalto até o ponto, pelo ônibus inteiro da linha três até o motorista e depois de volta no assento e até a porta, isso não é sangue, é tinta vermelha que foi usada pra pintar a metade de baixo da cidade por ocasião do Dia Sem Russo, e que pelo visto escorreu do bolso de algum operário. É o que vou dizer. A polícia e a guarda municipal ao mesmo tempo, a garota tá morta, foi perdendo sangue pelo caminho, sujou a cidade toda de uma ponta à outra, bem na véspera do feriado do Dia Sem Russo, manchou o renome da cidade inteira, vão dizer que aqui não vivem seres humanos e sim animais de corte. E o senhor é o responsável por isso, documentos por favor, nome da mãe, interesses, hobby.

É o que imagino e me dá um calafrio. Mas a campainha não pára, então fazer o quê. Mesmo que eu esteja com essa calça suja, manchada, parece até uma campainha de alarme, capaz até de matar o sujeito se ele não abre. Aí atravesso a sala meio que sem ver nada, com a porra da pálpebra piscando feito um estroboscópio, feito um bicho ali chupando meu olho. Condenado à morte, condenado à morte na claridade, estilhaços de sol cravados nas pálpebras.

Aí eu abro. Abro. Abro a fechadura que tinha fechado antes. Emputecido um pouco. Porque essa campainha já é exagero, uma verdadeira violência nos meus ouvidos e na minha cara esse reboco desmoronando aí no teto, um verdadeiro eletrochoque com um cabo cheio de faísca ligado bem na minha cabeça. E não sei que porra o cara precisa ter na cabeça pra apertar a campainha da casa dos outros de um jeito tão filho-da-puta.

Abro e sem nem olhar nada digo: que é, puta que pariu?

A Angela na porta. A Angela na porta. Viva. Se segurando nas próprias pernas com as próprias forças. Em pé. Olha alternadamente pra mim e pro meio da minha calça. Como se não soubesse que a obra é dela e que se fosse amiga mesmo ela devia é lavar isso, se fosse legal comigo. Mas ela não. Em pé. No pano de fundo a rua pintada de branco e vermelho. A cara da Angela como que caiada pra afastar os insetos na primavera, e os olhos, a boca, esse fuzuê todo desenhado em aquarela preta.

Que nem uma planta murcha e morta num vaso. Parece que um minuto atrás saiu de um rio, onde se afogou um mês atrás. E nesse meio-tempo ficou toda cagada de libélulas. Olho pra ela. Não é bonita. Como uma freira nos parques nessa época do ano, sustenta com dificuldade no pescoço cada vez mais murcho uma cara de homem. Na pata ossuda, com uns anéis que parecem umas ferraduras, segura uma bandeira branca e vermelha murcha feito ela. De papel.

Comprei dos russos — diz anemicamente, feito se estivesse recitando na academia um poema sobre o Bosque Piaśnicki. E dá uma balançadinha. Feito se dissesse: não sou eu que apareci não. É alguém se fazendo passar por mim.

Fico só com ela na mira. Porque tá viva, inteira, não foi pro inferno, não me aprontou essa, não foi tão sacana a ponto de me trazer aqui pro cafofo os meganhas e os psicólogos da promotoria. E satã puto da vida: Forte, você matou ela, seu filho-daputa, minha filhinha pequetita, e era tão magrinha, gostava de excursões, gostava de viajar.

Agora vejo que com certeza não é bonita. Parece até que bateram na minha porta uns restos queimados de frango. Dos russos, repito depois dela, segurando a porta convulsivamente com a mão, vai que ela me queira entrar por um acaso. Cadavérica trupe. E já nem sei se tudo isso não é só um filme na minha cabeça, ela veio até aqui pra pegar a virgindade preta que esqueceu ontem. Tá voltando por isso, mas já sem vida, já sem sangue. Morreu durante a noite e agora de repente voltou. E eu não sei sobre o que falar com ela.

Angela, você tem bigode — puxo papo espiando pra ela, tento começar uma conversa. Bigode? — pergunta apatetada, levantando a mão apodrecida até o lábio superior. Mas a mão logo definha e cai de acordo com o sentido da gravidade. Bigode? — repete sem qualquer emoção.

É, bigode, ao pé da letra — digo com coragem, porque sinto que o tema deixa ela animada. É um tema neutro e alegre, divertido. Digo pra ela: às vezes quando você me olha olho pra você e penso: é um carinha.

Ela como que não reage. Não ri. Como se não entendesse o que que é bigode. Não deixa ela nem um pouco animada, esse tema. Pra evitar um silêncio desagradável, que nem roupa dependurada entre a gente, pernas e mangas batendo de novo e de novo na nossa cara.

E como é que tá? — puxo papo sorrindo animador pra ela, estendo a mão, onde percebo um pouco de sangue coagulado, e bato forte, bem amistoso no braço dela, pra que saiba que existe uma amizade entre a gente, que a gente sempre vai poder ser camaradas, que quando eu encontrar ela na rua vai ter sempre um oi entre a gente.

Diante desse gesto da minha parte ela dá uma senhora cambaleada, levanta a mão com a bandeirola, balança um bocado apática e diz: comprei dos russos. Levantando essa merda de bandeirola. Comprei dos russos, porque é mais barato. Os escoteiros também tão vendendo. Mas é mais caro. Claro. E de um material artificial. Não-biodegradável.

Quando ela fala, não sei quanto tempo isso pode durar. Da parte dela riso zero, só seriedade. Faço as contas em silêncio na minha mente. Talvez a gente já esteja aqui em pé uma hora. Ou talvez meia. Ou talvez um segundo. Ou talvez então eu já esteja morto. Talvez estejam me segurando em alguma latrina de papel pra pinguços, numa clínica branca e vermelha de desintoxicação recortada de alguma revista de mulher. Assim à primeira vista tudo beleza, mas é só me mexer e a cola solta do papel e desabo daqui junto com toda a armação, debaixo da qual arde o fogo do inferno. Porque tem um inferno especial quando o cara é pego pela anfa. Rodam uns filmes doentes pra você. E a Angela não é a Angela. É uma porra de um boneco de papelão. Mexe a boca, mas nada de voz. Um peixe-martelo preto. Um peixe-monstro preto. Uma garça preta de origami. E agora apresento um requerimento de panadol. De paracetamol no mais amplo sentido. De um aumento da extração. Porque com esse negócio desse olhar perfurante aí cravado em mim, o crânio começa a me doer de um jeito como se daqui a pouco fosse se despregar do resto, sair rolando pelos degraus, atravessar a rua até o bueiro e obter absoluta liberdade.

Sua cachorra morreu — diz confusamente a Angela balançando a bandeira. Digo: como é que é?! Aí ela diz que a Sunia tá estirada lá perto da garagem e que ela morreu de fome. Aí então saio disparado e não tem a menor importância o pântano nas cores nacionais bem no meio da minha calça, já não tem a menor importância. Porque tô apavorado. Chocado. Pego o leite de passarinho, pego da geladeira o que tem lá, salsicha, legume congelado, tudo, e saio voando. A Sunia tá deitada de costas na grama. Que com certeza não vai demorar muito e tem que cortar de novo. Não parece muito viva. Sunia, Sunia, digo, e me dá vontade de chorar. Especialmente quando vejo o cocozinho que saiu por conta própria dela, feito um bruto de um verme preto que matou ela e agora se enfia na terra fugindo da punição. Sunia. Aqui ó. Não seja sacana de me aprontar essa. Levante. Trouxe aqui pra você. Você não gosta de feijão, mas assim no feriado não ia ser nenhum veneno porra se você comesse uma vez na vida um feijão, não ia cair nem um pelinho dessa sua cabeça chata por causa disso, você não quis comer, agora tá aí morta, você vai ver só como a sua dona vai ficar puta da vida quando voltar e em vez de um cachorro achar um cadáver, a casa toda coberta de sangue, você vai ver, ela vai pôr a gente no olho da rua, vai fechar a firma... puta que pariu, acorde aí, acorde!!

E quando tô assim aos berros e já vou até armando o golpe pra dar uns chutes, a Angela chega. Põe a mão no meu ombro. Tá séria, bandeira na mão. Diz pra mim: calma, Forte. A sua dor não vai ajudar nada. Sei que você tá em choque. Mas calma. Sei que você amava muito a Sunia. Mas agora ela tá morta. Não tem remédio pra isso. A morte anda lado a lado com a gente, o bafo de cadáver dela tá sempre no nosso nariz. Ela deixa atrás de si dor e sofrimento. Mas as feridas cicatrizam.

E enquanto fico ali parado, estupefato, totalmente perplexo com o que tá acontecendo, com tudo desmoronando de repente e por fim até uma cachorra morrendo feito num selo num pacote escrito decomposição. A Angela pega na garagem a pá de tirar neve no inverno e começa — sem mais nem menos — a cavar na grama uma cova.

Fico sentado no meio-fio, porque já não tenho força pra isso tudo. Já chega, obrigado, fim de festa, todo mundo vai pra sua casa, na ante-sala já tão enfileiradinhos os sapatos, o que sobrou do bolo podem levar pros irmãos. Fim. Hoje queimou minha última lâmpada. Hoje já tô morto, hoje tô vendo a terra cair na tampa do meu caixão e eu mesmo também jogo um punhado.

Então de repente digo o seguinte pra Angela: os russos envenenaram a Sunia. A Angela depois dessa: talvez sim. Eu com isso vou emputecendo, porque vai ficando cada vez mais claro pra mim.

Pra cada cachorro polonês: dois russos — digo — ou três. Pela Sunia, pela morte de um cachorro polonês inocente, apolítico, três russos pro chão. Na bala.

Depois disso pego um graveto e mostro onde é que vão estar os russos e como é que vou atirar.

A agressão sempre volta pra você mesmo. O homem é o lobo do homem — diz a Angela. Até que cavou um pouco com essas veias dela sem revestimento. E antes que eu perceba, ela tá do meu lado e diz o seguinte: como é o seu nome de verdade, Forte?

Penso um pouco. Será que ela é totalmente anormal?

É Andrzej, ora — digo. Andrzej Vermski. O meu é Angelika. Angelika Anna — diz a Angela. Eu também tenho um nome duplo — digo — mas não vou dizer qual é. Aí arroto de fome, porque faz tempo que não como nada. Ah, diga aí — insiste a Angela enquanto continua a cavar. Fico sentado no meio-fio e digo que não vou dizer. Ela nisso: por quê? Digo que por isso. Mas a minha mãe é Izabela.

Aí chegam junto do portão dois peões com tinta. Vá cavando — digo pra Angela, levanto e vou até eles.

Bom dia, chefe — dizem pra mim e dizem bem, apesar de olharem intrigados na direção da minha calça com vestígios de indubitável procedência orgânica. Porco? — começam de conversa a respeito do sangue. Hoje em dia quanto que um desse sem estripar, direto da roça, tá valendo? — puxam conversa apontando o sangue seco.

Bastante — digo, porque não tô com muita vontade de debater se é estripado ou não é estripado, se é da roça ou do supermercado, se é do chiqueiro ou sei lá de onde. Porque isso não interessa merda nenhuma pra eles, a calça é minha e eles têm as deles, então que cuidem delas pra não acabar sujando. Vêem que não tô com humor pra conversinhas sobre o tempo, nem lançamento, moda, cosméticos. Então, vamos pintar? — um pergunta pro outro.

Vamos pintar o quê? — vou logo perguntando na maior sobriedade. Eles olham um pro outro e dizem, a gente vai pintar a casa de branco e vermelho, é ordem do prefeito pra o distrito todo. Senão o quê? — pergunto, e já dão uma maneirada, ficam um tempo se olhando. Não é não — dizem — isso aí já é problema do senhor, se é sim ou se é não. Eu vou dizer francamente como é. Pode ser sim, aí entro com meu colega aqui, vapt-vupt, pura elegância, plena cooperação entre a Câmara Municipal e os moradores da raça polonesa, tudo certo entre a gente, o senhor tá lá com algum deficitizinho na conta, o deficitizinho sem mais nem menos desaparece, um aluguel atrasado, essas coisas. Coisa miúda, claro, porque a Câmara não tem verba pra treta das grossas. A mulher do senhor dá à luz, aí se ao mesmo tempo por exemplo dá à luz a mulher de algum, vamos dizer, prórusso antipolonês que se safou da ação, a mulher do senhor tem prioridade e precedência no parto, e ainda por cima ganha uma rosa branca e vermelha na cama. E a outra agonizando no corredor. Se bem que nem isso é garantido, porque nenhum taxista vai querer levar ela, o carro sem mais nem menos vai estar pifado. Uma correia, uma merdinha de nada, um escapamento entupido sem mais nem menos de isopor, mas o carro não funciona. Não funciona e pronto. Porque justamente se o senhor prefere um não, então uma coisa vou dizer pro senhor francamente, não é bem assim que uma decisão dessas não influi em nada. Influi sim. Parece que não tem nada, mas de repente tudo. Vai e quebra aqui alguma coisa do senhor, o siding do senhor descola de repente, a mulher do senhor morre de repente, mesmo sem nunca ter tido nem um resfriado. Alguma coisa some, uns documentos com o nome e sobrenome do senhor aparecem de repente não no arquivo certo, mas justo o contrário, e aí o que acontece é que o senhor simplesmente vai desaparecer junto com a sua família inteira, de repente vocês vão desaparecer da cidade, e a casa de vocês vai ser transportada pedaço por pedaço lá pra onde o vento faz a curva, vai ser coberta de gasolina e solvente e depois vai ser queimada, por questão de princípio. Porque ou se é polonês, ou não se é polonês. Ou se é polonês, ou se é russo. E mais enfaticamente, ou se é gente, ou então pro caralho. E é isso, é o que vou dizer pro senhor.

Aí dou uma olhada no olho dele pra me certificar se o que diz é sério. É sério. Sabe o que tá dizendo. Aí então me viro pra casa. O siding recém-colocado, elegante, branquinho, nem parece comprado dos russos. Fico olhando um momento. Depois olho pra Angela, que acaba de soltar a pá e joga a Sunia no buraco. Penso cá comigo: tá rasa demais essa cova, desse jeito isso não pode ficar porque logo começa a feder, é só fazer mais sol ou mais calor.

Minha cachorra morreu — digo mostrando na ilustração anexa a Angela enterrando a Sunia. — Os russos envenenaram — acrescento pra que fiquem sabendo que um fodido de um pró-russo antipolonês eu não sou, e que sei que os bandos deles tão por aí na cidade, esses imundos, envenenando os cachorros dos poloneses com aquelas conservas russas de merda.

Envenenaram? — perguntam os peões, como quem já não tem nenhuma ilusão a respeito dos crimes abomináveis que os russos andam cometendo contra os moradores dessa cidade.

É, pegaram e envenenaram, os brutamontes, talvez até tenham deixado ela morrer de fome — digo. Nisso eles apontam a Angela com o rolo: sua filha com certeza tá sofrendo muito, não é? Em consideração à sua filha o senhor devia declarar de uma vez por todas qual é o regime que o senhor apóia. Uma palavra, sim ou não, os russos falsificadores de cd, os russos minando a nossa economia, os russos matando os nossos cães e os de vocês, os nossos filhos chorando por causa dos russos. Sim ou não, a Polônia pros russos ou a Polônia pros poloneses. O senhor se decida, porque a gente tá aqui de tititi, e aqueles canalhas tão só se armando.

Olho pra Angela, como que escurecida prematuramente, uma menininha de cinco anos coberta de terra espiando na minha direção e esperando até que eu volte pra gente rezar uma missa pela alma da Sunia. Sunia, mártir na defesa da pureza da raça polonesa. Assassinada pelos russos com requintes de crueldade por sua origem polonesa.

Só que aí olho de novo pro siding, novinho, valendo uma nota, um siding que mal foi usado. Aí tudo se cristaliza num instante, tudo fica claro. O siding eu não entrego, seja russo ou não seja, mas isso não. Angela, chegue aí — chamo. A Angela vem depressa num trotinho. Eles querem pintar o siding de branco e vermelho, digo pra ela em voz baixa à parte. Ela olha sem entender nada primeiro pro meu olho direito, depois pro esquerdo, como se não soubesse o que é branco, não soubesse o que é vermelho, só soubesse no máximo o que é preto, e se eu dissesse: querem pintar de preto, aí ela logo entenderia do que se trata. Como: pintar? — ela pergunta, tão obtusa quanto um talher de plástico. É, pintar — explico que nem pra um retardado — pintar, pela Sunia, que os russos envenenaram.

Você tá doido? — a Angela de repente entende o que tá rolando — o siding você podia deixar pintar se arrombassem sua mãe ou se trouxessem pra cidade um parque de diversões fajuto. Ou então se tivessem matado você mesmo e violentado os restos mortais. Não sendo assim, pode dizer pra eles que pela Sunia no máximo a cerca.

E ela tá falando a verdade, não é nada boba essa menina, tem tino pros negócios, assim que eu tiver o meu, areia, parques de diversão ou lenços, não importa, vou aproveitar ela na seção "calculadoras".

Não encostem no siding — digo pros caras sem a menor sombra de hesitação, sem o menor tremor na voz. — No máximo vocês podem pintar a cerca.

Eles ficam olhando um pro outro, pensando onde afinal me classificar, a favor ou contra.

Na cerca eu também não deixaria ninguém encostar — digo depressa — mas é pela minha cachorra, pela dor da minha filha Angela, que foi tão prejudicada pelos russos, que judiaram da melhor amiga dela até ela morrer. Odeio eles por isso, e assim a cerca da minha casa vai simbolizar uma declaração de guerra dos poloneses contra os russos.

Aí fico até assombrado com a minha esperteza, com a minha manha, um golpe assim do nada, porque na mesma hora eles pegam as tabelas com as listas dos moradores, começam a conferir essas tabelas, com os títulos pró-polonês, pró-russo, e dizem: O que que a gente marca? Nisso o outro, um pouco mais alto, responde: bom, pra mim é evidentemente pró-polonês. Aí o primeiro, mais baixo, diz: é, pró-polonês é, mas que pontuação? Ficam um tempo se olhando. Aí o mais alto diz: é, vai ser preciso enquete-psicoteste. Abrem o casaco por cima do macacão e tiram dos bolsos a enquete-psicoteste. Não é grande, mas burocracia é burocracia, três perguntas mas vá saber. Olho desconfiado pra eles, mas pego a enquete-psicoteste e me afasto alguns passos com a Angela.

Pergunta número um, leio em voz alta. Os peões: no preenchimento do formulário é preciso, sob pena administrativa, declarar a verdade. Oquei, eu e a Angela dizemos, então leio: pergunta número um. Imagine que se declara uma guerra Polônia-Rússia. Uma amiga entre parênteses um amigo conta em segredo que é a favor dos russos. O que você faz? A) Sem demora informo o porteiro e a polícia. B) Hesito, tenho escrúpulos morais, mas afinal de contas guardo silêncio sobre a questão. C) Também fico a favor. Acho que os cidadãos russos deveriam continuar a praticar o comércio de cigarros e cds falsificados.

E a envenenar os animais poloneses — completa um dos peões como que de passagem. Resposta A) — diz a Angela. Resposta A) — confirmo sem demora. Aí os peões riscam A) e dizem: bom. A Angela pula de alegria e satisfação porque a gente acertou. Continuo a ler: pergunta número dois. Na rua você vê um homem, que hasteia em uma casa uma bandeira vermelha. O que você faz? Resposta A): sem demora arranco essa bandeira inimiga. A) — diz a Angela. Bom — respondem os peões. E o mais alto acrescenta: pois então vamos passar logo pra pergunta fundamental, pra que perder tempo de cerimônias, já que os senhores sabem as respostas certas. O mais baixo diz: Oquei, tem razão.

Terceira e última pergunta. Nos últimos dias a salinidade no rio Niemen aumentou em 15%. Sublinho: 15%. O meio natural daquelas cercanias foi degradado, e as águas do Niemen adquiriram uma coloração ultramarina. Os russos são responsáveis por esse estado de coisas? A) Sim. B) Não sei. C) Com certeza.

Cê! — diz a Angela imediatamente, os peões se entreolham e o mais alto acrescenta: nove pontos em dez, muito bom no quesito "postura armada diante do inimigo racial". Então vamos pintar a cerca, que é o que a gente tem que fazer, não foi pra bater papo que a gente veio. Aí preenchem o que é preciso e mandam ver na cerca.

Eu e a Angela vamos terminar aquela parada toda lá com a cachorra. Fico meio de lado, pensando na Sunia, que ela era como era, mas pena que morreu. A Angela porém empurra a terra com sua botina cossaca e vejo a Sunia sumir feito uma imagem de televisão com interferência enquanto vai sendo coberta pela terra do jardim. Tchastalavista — digo pra Sunia pela última vez. Você era uma garota legal, só um pouco gorda.

A Angela olha pra mim sondando se por acaso não falei com ela e continua a enterrar. Boa — diz. Agora vamos celebrar uma missa, um vade-retrozinho pra Sunia não ir parar onde a gente vai parar, Forte, e a gente vai parar bem no meio do inferno, bem no fundo do inferno, esmagados pela ruína, esmagados pelo vazio. Você ainda vai ser testemunha disso, como vou morrer debaixo da rocha, debaixo dos destroços, dos escombros. Vou ver como você vai morrer e tudo vai acabar nisso. Pra Sunia não passar pelo que a gente passou na vida, tanto sofrimento.

Depois disso a Angela pisa na terra, arranca algumas raízes e um pouco de grama e enfia na terra na sepultura.

Deus vai se virar no caixão quando olhar pra isso — digo e me benzo. Ah, não precisa ficar de novo tão sério — diz a Angela e pega minha mão, e me dá um calafrio de alto a baixo na medula espinhal, porque tenho a impressão de que a própria morte zangada, uma morte raivosa, me pegou pela mão e vai me levando pro outro lado do rio.

Ficou louca? Solte aí, digo, fugindo escada acima. A Angela olha um pouco surpresa e diz: ontem você tava mais gentil, mais carinhoso comigo. Mas se é assim, então é, e se não é, não é. A gente não precisa mesmo pegar besteira de mão nenhuma. Cada um de nós é um ser humano distinto, independente e livre. Seja lá o que você pense sobre isso, eu também sou independente, sou um ser humano próprio, distinto, individual. Quero que isso fique claro entre a gente. Não vou abrir mão nunca dos meus amigos, dos meus hobbies, interesses. Quero que você fique sabendo.

E agora essa. A gente mal consegue entrar em casa e botar as pantufas, os chinelinhos de pano, e toca a campainha, uma, duas três, e alguém começa a encher a porta de porrada. A guarda municipal. E a Izabela. Acabou a brincadeira — penso cá comigo e que não tenha sujado e não estejam procurando meu mano, que não tenha sujado porque na família só tem criminoso, digo pra Angela pra ela dar uma ajeitada no lugar enquanto vou abrir. Chego a tempo, porque a Natasza não conseguiu ainda fazer um buraco do formato do pé dela na porta de fechadura automática Gerda. Mas não tava longe disso.

Olho pra ela. A Natasza é a Natasza. Fiquei conhecendo na discoteca. Se bem que não faço idéia do que tá fazendo justo aqui no Dia Sem Russo, neste lugar, neste momento, na minha casa.

Uma vez ela tacou uma caneca de cerveja na Magda, foi aí que a gente se conheceu aliás, a Magda veio reclamar comigo que uma garota tava encrencando com ela, e que se ela tivesse um namorado de verdade ele ia dizer praquela galinha ir logo se foder. A gente já tava junto um tempo, eu e a Magda, a gente já se conhecia um pouco, aí precisei ir, falar. A Natasza me disse que odiava a Magda só pela cara dela e que se ela passasse pelo salão era Magda pra fora do caminho e continência. Depois a gente se conheceu bem melhor. E agora tá aí na porta, olhando pra minha calça, como se de repente eu tivesse instalado aqui um medidor, que é só eu pegar, apontar pro baixo-ventre, e aí digo a previsão do tempo. Hoje o tempo vai estar bastante vermelho com lufadas de preto seguidas de sol. Hoje o tempo vai estar russo. Nuvens vermelhas se acumulam sobre a cidade. Em virtude das condições meteorológicas o Dia Sem Russo pode ser cancelado.

Não faço a menor idéia por que veio, o que quer de mim. No cabelo uma faixinha branca. O olhar matreiro. Uma pequena corcunda.

Deu chabu? — ela pergunta se referindo à calça, sorrindo cheia de malícia, tipo eu sei uma coisa mas não vou contar. É uma bela de uma bunda. Mas e daí? Alguma coisa errada com o meu membro, distúrbio definitivo do membro, falou, george, tô até aqui com você, por sua causa emporcalhei minha calça, e aí, já era, tentativa de assassinato com instrumento afiado, pior, suicídio quase, joguinho O suicida mirim, pra crianças a partir de três anos, faquinha de descascar batata e caixãozinho pro george, não-biodegradável, com uma correntinha. E pros primeiros a telefonar uma surpresa, um estojinho.

Nããо, isso aqui é de uma amiga minha — digo pra Natasza me referindo à calça, e torço pra Angela não estar escutando, só limpando.

Fu, isso é uma porca, não uma amiga, pra emporcalhar você assim, hein?, diz a Natasza, molha o dedo de saliva e tenta limpar ali onde precisa.

É uma. Uma pervertida — respondo. Nisso a Natasza pergunta se é esse o nome ou sobrenome da garota, pervertida, porque ela perguntou qual é o nome da garota, não a espécie.

E me esfrega o dedo, olhando descarada bem no centro dos meus olhos. Nisso eu dou aquela gemida. Aí ela me empurra, grita que sou um animal feito todos os outros, que ela na amizade, e eu já parto pra cima de pau duro, e pergunta se eu ou meu mano temos alguma erva, algum trampo pro nariz, porque é por isso que ela tá aqui.

Dá pra abaixar o vocal, pô? — digo. Meio tom mais baixo. Tem uma prima minha aí, repreendo a Natasza. Sério? — ela cochicha, entra e vai na ponta dos tênis até o quarto dar uma espiada. Isso não é prima nenhuma, ela cochicha pro meu lado, é uma putinha gótica sadomasô. Feche o bico, falou, Oquei? — cochicho pra Natasza e olhamos os dois pela fresta entre as dobradiças. A Angela de joelhos, bem anêmica, vai catando os papéis e as guimbas do chão. Puta merda, ela tá mesmo viva ou você desenterrou da cova, não será um cadáver movido à pilha R6? — cochicha a Natasza, empurra a porta e entra. Alô, patroa. Quero saber seu nome. Eu sou a Natasza, dá a mão pra Angela e diz: Nata. Nata Blokus.

Angelika — diz a Angela — mas pode me chamar de Angela, sem problema, só Angela. Angela, é? — diz a Natasza e dá uma puxada na calça. Só Angela — diz a Angela.

Bem legais esses braceletes, esses pregos. Quanto você pagou? — pergunta a Natasza. Aí varia. Depende qual — responde a Angela se levantando. Porque o preço varia, mas a maior parte comprei agora no verão em Zakopiec ou então em excursões nas montanhas. Legal — diz a Natasza. Irado.

Tô numa baixa crônica. Não consigo saber se já mencionei isso, mas minha cachola tá estourando e talvez daqui a pouco eu já nem esteja vivo. A Angela abre a persiana. E não tem por que esconder isso, olhando pra Natasza, olhando pra Angela, fico com a grave suspeita de que isso é o inferno, branco, claro que só a porra, um inferno especial pelo tráfico, pela anfa, com um sol que não se põe, com uma lâmpada de cinco mil watts direto nos meus olhos, com alguma festinha com duas meninas esquisitas, das quais uma provavelmente não tá viva, e a outra fuça pela casa inteira, pega do chão cheia de nojo uma coisa e outra e joga de novo no chão. Feito uma comissão de um só integrante pra averiguação do crime de guerra aqui cometido. Feito um soldado vietnamita num campo de cana-de-açúcar. Olha debaixo do edredom na cama. Ah, tô vendo que aqui rolou uma carnificina da grossa, Forte, quem que você pegou desse jeito, seu tarado, foi sua cachorra pelo visto — diz.

A Angela nisso já não consegue ficar mais pálida, aí passa violentamente pro cinza. Além disso solta de repente um arroto perigosíssimo, e tapa a boca com a mão como se quisesse produzir uma nova seqüência de pedras pedindo passagem pro mundo. Preciso salvar ela, porque seja o que for ela deu prova hoje pra mim e pra Sunia de muita amabilidade e esperteza.

Minha cachorra morreu — explico pra Natasza apontando a cama — os russos envenenaram. Morreu no maior suplício,

"Mas triste ou alegre?" / "Eu gosto mais quando é homem que canta. Hip hop, músicas em inglês dizendo que é tudo terror, que a gente vive no gueto aqui, pô."

melecou tudo em volta de sangue. Deram pra ela um projétil de detonação automática no interior da vítima. Uma mina terrestre na comida — digo, sento perto da Angela na cama e tento reconfortar ela com um abraço. Aprontou a maior zorra aqui, não tem muito tempo que a gente enterrou ela.

A Natasza olha pra mim com um olhar nada compreensivo, depois levanta de repente.

Forte, não fuja da porra do assunto, porque seu canil não me interessa merda nenhuma, não me interessa se a sua cachorra cai pra esquerda ou pra direita quando morre. Diga lá onde você guarda a mercadoria, porque sobre o tempo ou passatempo a gente pode sim papear, mas não comigo tão necessitada de uma anfa que tô quase me mijando.

Aí, como eu não respondo, vai pra cozinha. Começa a abrir os armários, bate as portas, bate as panelas, onde tá a mercadoria, Forte, onde vocês guardam essa mercadoria, mas de você não vou ficar sabendo nada, não é, idiota, você tá tão chapado que já embaralhou tudo na cachola, já nem sabe onde é a cozinha e onde é o banheiro, muito menos onde escondeu a anfa, não faz nem dois dias que você malocou isso e agora já não sabe nem qual era seu nome daquela vez, Vermski ou alguma outra coisa.

A Angela fica ali, e eu como anfitrião vou cambaleando atrás da Natasza, impotente diante da fúria dela. Assim que me vê, diz: suma daqui, caralho, eu mesma procuro, com você, Forte, não dá pra conversar, vá limpar essas tripas aí da calça, porque parece que você no mínimo caiu na faca. Suma daqui, eu tô dizendo, porque não posso olhar pra sua cara.

Aí então vou até a sala, ando um pouco, observo em volta. Tenho uma alucinação em que eu tô grande feito um novelo de algodão e rolo pela casa de um lado pro outro, aí um vento forte me carrega pelos quartos. É como que um sonho meu, porque de repente tenho a impressão de que do teto começa a cair neve em mim, ou granizo, uns papeizinhos brancos, um grande cortinado branco cai em cima de mim. O vento sopra pelos quartos e me carrega de volta. O vento sopra de cima e me leva pra debaixo do assoalho, pro fundo, no porão, no interior da Terra, onde vermes brancos cintilantes rastejam por dentro das minhas pálpebras. Entro na cozinha e o sonho desvanece. Barulho e baderna, copos quebrados no chão, minha caneca de duende inclusive, pratos tirados dos armários e espalhados pra todo lado. A Natasza à mesa, o que tinha em cima tacou no chão, a cabeça apoiada nas mãos. Jogou barszcz em pó no tampo da mesa e com um cartão telefônico toc toc toc vai fazendo umas carreirinhas. Pela caneta "Zdzisław Sztorm" aspira o barszcz pro nariz, depois espirra pra cacete e cospe uma saliva rosa na pia.

Puta que pariu, Forte, você vai acabar mal hoje — balbucia. Sua gata gótica também.

Cospe no montinho de barszcz e remexe com o dedo. Levanta. Vai pro quarto. Eu atrás dela. Andando faz até vento, e desgrenha os cabelos da Angela, desmancha o penteado. A Natasza abre o bar. Todas as garrafas uma por uma. Com o que não agrada ela faz um bochecho e depois cospe no tapete. É boa nisso. Consegue cuspir onde bem quer. Cospe sem mais aquela bem na minha cara. Tão de repente e tão forte, que cambaleio dois passos pra trás. Foi martíni.

Sabe por que isso? — pergunta a Natasza, toma outro gole e me cospe com ódio na braguilha. Sabe, caralho, por que isso? Porque eu tô puta hoje, porque não tem pó em lugar nenhum na cidade, porque Dia Sem Russo precisa estar tudo nos trinques na cidade, lacinho no prédio da Câmara, fogos de artifício na bunda do prefeito, a sociedade sadia com seu grill na sacada e um vaso de flor por cada janela. E além disso, caralho, porque você, em vez de me ajudar na amizade a procurar a mercadoria dentro da sua própria casa, porque com certeza tem alguma aqui e eu não vou desistir, foi da Magda aliás que fiquei sabendo, você fica aí passeando pra cima e pra baixo que nem uma putona búlgara de estrada. Suma da porra da minha vista, e me dê aí um cigarro, porque não demora muito vou pôr pra foder com você. Dois cigarros. Dê aí aliás quantos tiver.

Aí ela se vira pra Angela: em você vou cuspir bem light, porque tô vendo que você é muito delicada e isso poderia acabar com você.

A Angela olha pra ela totalmente bestificada de espanto. Você não precisava de jeito nenhum cuspir em mim — diz pra Natasza tirando os cabelos do rosto. Se conseguisse conter suas emoções negativas.

A Natasza olha pra ela, não dá pra saber o que tá pensando. Forte — diz — por quanto você comprou ela? Deviam ter abaixado o preço em alguma promoção. Depois cospe na Angela, feito avisou, bem delicadamente no olho, uma saliva rala, branca.

A Angela então levanta bruscamente e tapando a boca voa pro banheiro. A Natasza sem quê nem porquê deita na cama e se cobre com o edredom:

Forte — resmunga — Forte, chega desse nhenhenhém. Vamos vender esse vídeo pros russos, vai dar uma graninha, seja camarada, pô. Na mesma hora a gente pega um táxi, vai lá no

Wargas e compra. A mamãe não vai ficar sabendo de nada. Metade da mercadoria pra você, metade pra mim, e pra sua gata a gente também dá alguma coisa pra lamber. Não me venha de novo com esse olho arregalado, hoje eu tô parecendo uma titica na floresta, e você não tá nada melhor, venha, venha aqui e me aconchegue, me diga aqui direito o nome e o sobrenome dessa fuinha que você comeu ontem, porque sei que comeu, e essa conversa da cachorra é só lorota, era bonita pelo menos, tinha um cabelo bonito, loura ou morena? É ela que tá vomitando agora?

Digo então pra ela num sussurro bem no ouvido pra ir à merda.

Ela responde com outro sussurro, mais alto. Mas você não podia arranjar uma decente, que não estivesse naqueles dias? Você tem entradas, Forte, já vejo logo que vai ficar careca em pouco tempo, seu porco.

Dizendo isso põe carinhosamente a boca na minha boca, e quando penso que de repente tudo entre a gente tá no melhor caminho e que ela é uma garota legal, que por ela eu poderia até largar a Angela, ela cospe com toda a força na minha boca, toda a saliva que tinha nela, talvez até mais, todo o conteúdo dela, todos os fluidos orgânicos que tinha lá dentro, tanto que engasgo violentamente.

Chegam do banheiro ruídos de vomitório.

Aonde você vai com esse linguão, aonde? — a Natasza diz, ia ser gostoso se eu metesse a língua na sua boca? Será que você é anormal? Cachorro. Porco.

Vá falando onde tá malocada a carga — diz, senta em mim e me aperta as mãos no pescoço. Porque daqui a pouco tá tudo acabado, daqui a pouco vou pegar o telefone e ligar pra lei, já que você não sabe, que eles venham e procurem direitinho. Putz, que cara a sua, se você se visse. Tô me sentindo que nem no seu enterro. O Forte tá morto, Angela! E era um camarada legal, um cara alegre. Na terra não vão enterrar ele não, porque tem pecado demais, malocou anfa demais e não quis dividir. Vão enterrar na cama, pra que a mãe possa sempre visitar quando desmontar a cama. Era um cara legal, todos nós temos pena de você, Forte, as amiguinhas e os amiguinhos da escola primária, a professora, a Angela também, apesar de ela mesma estar mal. Essa calhorda da Natasza que estrangulou você vai receber o dela, mas ela tinha razão que você foi um bruto por não querer dar um speed pra ela daquela vez.

Aperta cada vez mais forte. Aperta cada vez mais e mais forte. Vai me matar na boa daqui a pouco, vou estar morto daqui a pouco. A minha vida inteira, tudo que aconteceu, tá diante dos meus olhos. A pré-escola, onde aprendi que todo mundo só quer paz no mundo, pombinhas brancas de cartolina a 3000 zlotis o bloco, e depois de repente a 3500 zlotis, o cochilo obrigatório depois do almoço, xixi nas calças, epidemia de cárie, o clube do esquilo, fluoração brutal da arcada dentária. Depois lembro a escola primária, a professorinha zangada, todas as professorinhas zangadas de botinão cossaco, o vestiário, a troca de sapato e a sala da memória, paz, paz, pombas brancas de cartolina amarradas em linha de algodão, planando pelo pátio, os primeiros contatos homo no vestiário depois da educação física. Depois a geleira, curso técnico de refrigeração, a Arleta, namorada de um colega meu, a primeira mulher que eu tive numa excursão com a turma pra Malbork, que me deu aliás um monte de problema, porque era rápida demais pra mim. Depois teve outras ainda em grandes quantidades, mesmo sem amar nenhuma. Fora a Magda talvez, mas entre a gente tá tudo acabado.

O leite de passarinho, idiota — consigo gemer sob a pressão terrível da Natasza. De uma grande altura ela deixa pingar saliva direto na minha cara: que leite de passarinho, porra, leite de passarinho é o que você vai botar pra fora agora mesmo se não me disser — diz e me aperta o conteúdo estomacal com o joelho.

É no leite de passarinho que tá a mercadoria — berro e ela me larga, pula da cama, nem o tênis tirou essa bandida, e taca todo o resto do leite de passarinho bonzinho ainda no chão, pra eu depois precisar catar. E junto com ele voa um saquinho pequenininho, o último, com a mercadoria. Ela tira dele uma carreira grossa feito uma lombriga, e já não tenho nem força pra levantar da cama, fica tudo escuro nos meus olhos, só vejo minhas unhas. Ela já pegou o Zdzisław Sztorm na cozinha, mas agora pensa um pouco e faz três carreirinhas. Tenho princípios, diz. Uma mais grossa, roliça que só, a segunda tão fina que o barszcz em pó me faria melhor e a terceira praticamente nem existe.

E eu, porra, vou levar a pior? — grito. Apalpo minhas lesões depois da morte clínica por estrangulamento que me infligiram. A Natasza na mesma hora se vira de costas e zip, manda a carreirinha dela pro nariz, com um tanto da minha parte, e com um tanto da parte da Angela, e antes que consiga me mexer me diz: que foi? Tá pouco? Tá pouco? Se tá pouco, vá se danar.

Mas no mesmo instante amansa completamente e fungando um pouco o nariz ela fala: venha, venha aqui ó, a titia vai ajudar você. Hop. Me arrasta da cama, que tô bastante abatido, se bem que talvez seja dessa sistematicidade no uso da anfa. Assiiiim — diz a Natasza — venha venha, não tenha medo, um investimento de nada na nasofaringe e você tá feito novo, Forte, recém-comprado, na caixa ainda, com a etiqueta ainda. É. Agora uma fungada com o narizinho. Óó. Agora vai ficar legal. Se bem que na velhice é impotência na certa.

Depois de me dar uma ajuda até eu me arranjar com a minha carreirinha, olha em volta e diz o seguinte:

Mas que bagunça é essa, Forte, tem que passar o aspirador aqui, tô com muita vontade de passar o aspirador nesse pântano inteirinho, sabe, de uma vez por todas. Mas quando eu pegar esse aspirador, vou aspirar tanto que vou arrancar esse piso, esse assoalho, o porão, tudo. A casa inteira vai se foder, o siding russo vai despencar com o maior estrondo. Então é melhor nem me dar esse aspirador. Ou então pode dar desligado. Já vou passar. E você, não, Forte, sem essa, você precisa se arrumar, um menino desse tamanho e a calça emporcalhada, você tá parecendo até um caixa de açougue, quando olho pra você fico até enjoada.

Aí então tiro a calça, porque já tô me sentindo melhor um pouco, a imagem tá mais nítida, a gelatina mais firme. Você tem pernas muito finas — ela diz, depois pega do chão a caneta, fica olhando e diz: Zdzisław Sztorm, Usina de Areia, você conhece?

Digo que não conheço, mas que a Angela, que nesse exato momento tá vomitando letalmente no banheiro, parece conhecer ele. Aí a Natasza pergunta se tô sabendo quem é a figura. Digo que é um produtor de areia. Ela pergunta se tá com a nota. Digo que talvez sim, talvez não. Nisso ela diz que a gente vai na casa dele agora, que a gente aproveita que conheço ele, ou melhor ainda que a Angela conhece ele, ela faz lá uns vade retro e a gente tira do puto uma bufa legal, aí o Dia Sem Russo é nosso, barraquinhas com grill, a gente compra tudo que tiver.

E um dois ela tá com tudo pronto, o plano todo, não passo de um assalariado pras funções inferiores que não exigem tutano, lavo as panelas, encosto a porta do banheiro onde a Angela tá vomitando. A Natasza revista o que tem no guarda-roupa, essa blusa, Forte, precisa jogar fora, não sei o que a sua mãe tem a dizer sobre esse tema, mas eu não sairia nisso nem até o porão. Depois acha no chão o cartão da Angela, da amiga de Szczecin, que a Angela ontem na pressa fugindo de mim quando eu tava puto deixou cair perto da cama, e em voz alta, com dificuldade, lê. Mas que merda — diz — que retardada é essa que escreveu isso, tô me divertindo de montão, muito ar fresco, tempo bonito, sol. Fogueira. Fodeu. Forte, você conhece ela? Com certeza é uma retardada rica que foi pra algum sanatório tratar dos calos, você não sabe se dá pra descolar nisso algum trocado? Tá entendendo? Nada a sério assim brutal com sangue. Melhor uma carta com ameaças. Feita de acordo com um modelo profissional pra ameaças. Seu mano deve ter aí um modelo desses. Uma carta dizendo que ela vai morrer. Uma outra dizendo que os filhos vão morrer. E uma outra dizendo que já tá morta, já tá no caixão. Talvez dê um dinheiro. Mas que merda, sabe qual é o nó? Ela é de Szczecin. Ia demorar demais, e a gente precisa da bufa hoje, pro Dia Sem Russo. Senão a gente não tá com nada, posição zero. Então sobra só esse Sztorm pra gente traçar, não tem perdão, ele ganhou na roda da fortuna e não vai se safar. E aí, Forte, você e eu, a gente vai dar uma limpa nessa cidade que nem os russos nem os nossos vão notar quando a grana deles desaparecer. A gente implanta um novo regime, ainda hoje. Tudo que todo mundo tiver, celular, carteiras, chaves de casa, controle remoto dos carros, no meio da praça do mercado.

Aí ela já começa a me dar nos nervos. As duas me dão nos nervos. Gastam meu speed, perturbam. Uma vomita, a outra não cala a boca, e eu aqui pergunto, o que que é isso, associação de extermínio psíquico do Andrzej Vermski? As duas se merecem, deviam se casar logo a acabar com a conversa mole, duas filhas fêmeas femininas da guerra, uma firma mexendo com speed e panadol, vômito de pedras, a Natasza ia cuidar das extorsões, a Angela ia costurar o dia inteiro uns tapetes pretos. E que esqueçam o número do meu celular.

Aí, Natasza, feche aí o bico agora, porque quero propor um negócio vantajoso pra você, tá sabendo? — digo meio puto. Preste atenção. Se estiver a fim, vendo a Angela pra você. Sério. De escrava. É boazinha. Companheira. Declama poesia. Você vai ficar na boa com ela. Vai limpar sua bunda, vai mastigar a comida pra você, se você tiver vontade ela vomita pra você, o que você quiser. Pedra. Speed em saquinho. Ácido. Fumo. O que quiser, o que pedir. Apresenta o Zdzisław Sztorm pra você. Bate seu carimbo pra você. Vai ser sua secretária.

A Natasza já não tá sonhando, olha pra mim feito se olhasse um babaca. Não, no cu, diz. Você deve ter despirocado totalmente já. No cu, não caio nessa. Me enrolar com uma transação errada dessa você não enrola. Tudo bem. Comércio de cadáver vivo é comércio de cadáver vivo. Mas como é que vou me arranjar com ela? A grana tá rala, e isso aí é ração, vacina, passeio, pensa que vai me engrupir? Você que trouxe ela sei lá de onde, do inferno talvez, agora se divirta, e pra cima de mim nem venha com esses negócios de merda. Se bem que vou dizer a você o seguinte. Dava pra cavar algum com isso, mas eu ia precisar falar com o Wargas. Ele talvez pensasse em alguma coisa, mas aí ia ser nó dos grandes, exportar ela pro Ocidente etc.

Como você quiser, digo pra Natasza e vou pro banheiro, porque afinal acabei me acostumando com a Angela, me acostumei com ela em vida e viva, e uma situação assim em que ela, vamos supor, morresse, é impensável pra mim. Então vou pro banheiro. A Angela tá viva. Na pose tradicional tá atravessada no banheiro e despeja tudo que tem dentro dela. Depois de ontem não deve ter sobrado muito. Aparentemente é orgânico, branco, só um único cascalhinho bóia dentro do vaso, e reconheço nele um dos cascalhos ali da frente da casa. O resto — sei lá. Cal pra caiar, giz escolar, tinta bebida em momentos de desatenção dos operários.

Tudo beleza? — digo cutucando ela com o pé. Tá viva. Olha pra mim com um olhar de galinha queimada no fogão. Continuo: sabe de uma coisa, Angela? Você tem sempre isso? Você sabe, esse vomitório. Porque não sei se você sabe. Mas um dia isso pode acabar mal. Você tá aqui, tudo certo, vomitando numa boa, até que uma hora ó, vomitou o próprio estômago. Ou então por exemplo acaba virada do avesso. Você curte isso?

A Angela limpa a boca e olha pra mim de um jeito que fico pensando se a coisa não foi ainda pior e se ela não pôs pra fora a medula espinhal junto com o cérebro. Depois fecha os olhos de uma vez. Pego ela pelos sovacos. A Izabela pode voltar e, querendo se aliviar, tropeça na Angela, aí na mesma hora vai ter choro e ranger de dentes por causa da baderna na casa. Chamo a Natasza. A Natasza pega ela pelas pernas. Vamos levar ela pro quarto do seu mano pra desintoxicação, decide. Então a gente leva. Bota na cama. A Natasza levanta o braço da Angela. O braço cai. A Natasza senta com toda a força na barriga dela. Na mesma hora glup, eu grito: cuidado aí, puta que pariu, mas por sorte é só uma bolha branca que sai flutuando da boca da Angela e logo arrebenta.

Não sei de onde você tirou ela, Forte, mas de uma coisa tenho certeza. Isso é produto com defeito — diz a Natasza. Nem pro Ocidente vão querer ela, a não ser pra peças de reposição. E as tripas vão cortar fora, porque tão danificadas e o ganho nisso vai ser nenhum.

Aí então fico meio atacado dos nervos.

Será que ela apatetou de uma vez? — grito, porque isso já tá me levando a extremos, a uma perda completa do equilíbrio mental. Apatetou de uma vez por todas? Será que necessariamente quer me criar problema? Trazer a lei aqui no cafofo? Porque por acaso a casa tá até chiando de tanta anfa. Tá rebocada de anfa. E essa idiota vem me aprontar aqui sessões de suicídio, tá pensando que justo aqui e agora dá pra desligar bem tranqüila o computador, mas por gentileza, abrigo pra suicidas, pensão familiar pra denatos, achou um Estado com eutanásia bem baratinha, ela precisa é pensar sério uma vez que seja afinal e entender qual é o trato, que ela pode ficar sim nessa casa, mas isso viva e olhe lá, e se quiser dar um suitiro nos cornos, então rua. Do portão pra lá. E nem um milímetro mais perto.

A Natasza enquanto isso, durante essa minha crise, essa histeria, com uma cara entediada executa na Angela uns experimentos científicos. Olha dentro da boca, se contorcendo um pouco apalpa os dentes dela, e depois limpa a mão na calça. Fuça nos bolsos, fuça na bolsa dela e tira lá de dentro uns papéis, documentos, uns cartões.

Vá ficando calminho que se der certo a gente ainda fatura um troco com ela, diz pra mim. Um papel é xerox de um certificado de acampamento em Bieszczady, segundo lugar na corrida de orientação. Esse a Natasza rasga na hora, enfia os pedaços num bolso da Angela e diz: quando a princesa ensopada acordar do seu sono eterno vai pensar que ficou muito puta da vida e que ela mesma rasgou. Depois acha ainda uns dois lenços de papel usados e limpa com eles a boca da Angela do pó e daquele veneno branco, e enfia num bolso também, e por último acha uma doideira ainda maior, umas cartas. Penso ali comigo que idiota é essa Angela pra primeiro carregar cartas que não mandou dentro da bolsa e depois pra ter um treco justo na frente da Natasza, instinto de sobrevivência zero, sem brincadeira.

Mas o que já aconteceu já não desacontece, a Natasza rasga o envelope com os dentes e se manda pro outro cômodo; vou atrás, sento na cama e fico espiando por cima dos ombros dela. A Natasza lê alto e com dificuldade a primeira carta. Lá tá escrito o seguinte. Prezados senhores, cara diretoria. Alto e firme declaro meu protesto e minha oposição ao surgimento na Polônia de jardins zoológicos e circos. Alto e claro exijo a libertação dos animais e a extradição deles de volta pra terra natal. Alto e claro exijo que as crianças menores de idade sejam dispensadas da obrigação, quer no âmbito de excursões escolares ou de passeios dominicais, de visitar esses locais de tortura, de crueldade, de sofrimento inocente. Meu lema na vida é: se você quer que o seu filho veja a dor, leve ele no circo. Sou aluna do terceiro ano do liceu de economia. Meu hobby é, entre outros, os animais. Junto com amigos fundei uma organização de movimentação ecológica, da qual sou presidente. Não ameaçamos, só avisamos. Atenciosamente aluna do terceiro ano do liceu de economia número dois, Angelika Sakosz, dezessete anos.

O nome dela é: Sakosz? — pergunta a Natasza, olhando sem acreditar. Depois pega uma caneta no chão e com uma letra de analfabeta escreve. Pê esse. Vão chupar uma piroca. Talvez até eu escrevesse mais, mas agora vou pro inferno. Tchastalavista, a gente vai matar vocês.

Depois solta uma risada satânica e com um pedaço do chiclete que tira da boca cola de novo o envelope. Tem mais duas cartas. A mesma de antes copiada em papel-carbono, uma cópia pra Jolanta Kwaśniewska, outra pro jardim zoológico em Ostrowiec Świętokrzyski. Na primeira a Natasza escreve: pê esse. No caso de surgimento de outros campos de concentração pra atendimento de turistas alemães, meu camarada Forte mata você, seu marido e seus filhos. Até mais no inferno. E na outra de novo aquele negócio de chupar piroca. Aí volta pro quarto do meu mano, e eu atrás dela. A Angela parece que acordou um pouco, e por um momento me preocupo se ela não ouviu pela parede eu e a Natasza lendo a correspondência dela. Mas a Natasza não vê nisso problema nenhum. Angela, vire aqui um pouquinho pra parede, tá? — diz, e quando a Angela olha pra ela sem entender nada e sem entender nada se vira, a Natasza enfia as cartas de volta na bolsa.

Que foi, tô com alguma coisa aí? — pergunta a Angela assustada com a voz fraquinha. Tá sim, diz a Natasza na maior seriedade, é um mosquito que pousou na sua bunda e queria morder você, mas matei o puto. Não precisa ficar com medo.

Obrigada — a Angela dá um sorriso meio turvo, que nem água de peixe de aquário sem trocar. Que música você escuta?

De tudo um pouco — responde a Natasza olhando de cima e fico com medo de que despiroque, pegue uma caixa de som e espatife na cara dela.

Mas triste ou alegre? — insiste a Angela, sem saber do perigo.

Às vezes sim, às vezes não — diz a Natasza, fico com medo de que esteja juntando saliva pra esguichar na Angela. Varia. Lenta, e às vezes rápida.

E rápida de qual você gosta? — investiga a Angela se apoiando no cotovelo e aí escapa dela um ronco, uma tosse, e ela cospe no ar uma imponente nuvem branca de poeira ou talco.

Varia, assim em geral gosto mais de videoclipe — diz a Natasza. Mas não quando cantam essas putinhas dessas lésbicas que parece que vão se mijar inteiras se alguém não meter o pau nelas agora mesmo. Gosto mais quando é homem que canta. Hip hop, por exemplo, músicas em inglês dizendo que é tudo terror, que a gente vive no gueto aqui, pô.

Eu também gosto — diz a Angela. E que livros você lê? Depois acrescenta: ou que jornais?

A Natasza então responde: ha, não paro mais de falar. Tudo um pouco. A programação da televisão. Jornal da tv. Um pouco assim de aventura, Conan, o Destruidor, Conan, o Bárbaro, Conan na cidade grande, já li a série toda. Eu gosto de cartazes. Piadas. Quadrinhos. Resumos dos programas.

Legal — diz a Angela. Que nem eu. E você gosta de perder peso?

Nisso a Natasza como que se toca, fica paralisada um momento, depois se debruça subitamente em cima da Angela, de um jeito que a Angela fica até impossibilitada de respirar como de costume, e a sombra violeta dos olhos da Natasza cai nas pálpebras dela. Não sei direito o que fazer pra Natasza não se sentir ofendida, porque ela tem total liberdade na minha casa e talvez queira só conversar mais de perto com a Angela.

Quem é que tá pagando, puta que pariu? — diz a Natasza bem na boca da Angela. Fale aí, puta que pariu. Agora. Um dois.

Tá pagando o quê? — pergunta a Angela chorosa e surpresa, totalmente surpresa, como que querendo esclarecer a situação.

Pelas informações, puta que pariu, sobre mim — diz a Natasza.

Que informações? — murmura a Angela.

Não tô perguntando que informações, só tô perguntando quem, puta que pariu, ouça as perguntas. Se você mentir, tá morta. Quem tá pagando pra você? Moscou?

Não precisa matar ela, oquei? — digo tranqüilo pra Natasza. E você, Forte, vá bater uma punheta — diz ela, se levanta e vem pra cima de mim. Eu até me desvio, porque tenho medo dessa garota rude e grosseira. Que putaria é essa, Forte? É você que tá por trás disso, dessa sua putinha me fazendo interrogatório, que basta eu me virar e ela me puxa uma lanterna e me mete direto no olho? A gente aqui de papinho, tempo bonito, com sol, cultura e belas-letras, e enquanto isso ela liga pro celular do Zdzisław Sztorm e canta tudinho pra um agente russo, cada palavra minha e ainda por cima as impressões dela sobre o assunto? Hein? Quem tá por trás disso, diga! O Esquerdo? O Wargas?

Você conhece o Zdzisław Sztorm? — se desanuvia na hora a Angela.

Claro. Quer dizer, na verdade não conheço. Mas se quisesse, conhecia — diz a Natasza, depois se volta pra mim — você não disse pra ela, Forte?

Que que eu não disse pra ela? — pergunto, porque perco o fio da meada.

Que ela tem que dar a bunda pro Sztorm e que a grana a gente divide — diz a Natasza.

Não, não disse — respondo de acordo com a verdade.

Oquei, se você não disse, eu digo — se desanuvia a Natasza e esquece o negócio todo do interrogatório. Escute aí, o projeto é o seguinte. É um pouco do Forte e um pouco meu. É um projeto, então é melhor escutar e anotar direitinho. Porque senão nada de ser Miss Dia Sem Russo e nem um pão torrado no grill você vai poder comprar. Eu aliás também não, então a gente tá no mesmo barco. É o seguinte. Com esse troco que você tem na bolsa agora a gente pega um táxi e dá um pulo na casa do Sztorm. Tranqüilo, relax total, talvez tenha pra corrida inteira, pra metade com certeza, o resto a gente conversa. O endereço tá na caneta que você tem na bolsa. A gente chega lá, joga uma baba nele. Tipo assim, que a gente é de uma organização de movimentação ecológica e se ele faria uma doação pra proteção dos animais poloneses em extinção por causa dos russos. A gente vai estar com um monte de papel, carimbo, pasta. Aí ele diz que não pode, porque tá com muitas dívidas, o negócio não vai bem, recessão, desemprego, as matérias da *Gazeta Wyborcza*. Aí eu saio, digo que preciso sair pra mijar ou vomitar, isso já não tem importância, as possibilidades são muitas, digo que acaba de descer minha menstruação ou qualquer coisa assim e que se eu não sair naquele momento a gracinha da poltrona dele vai ficar imunda. E aqui entra a sua parte, o ponto alto do programa. Tá tudo lindo, você se inclina, põe a língua pra fora. Declama pra ele um poema sobre animais. Não precisa ser muito romântico, pode ser comum, o importante é que seja de memória. Aí ele tira a sua roupa e chega junto em você, e a grana é nossa.

A Angela olha pra Natasza com evidente admiração, com entusiasmo. De onde você sabe da organização de movimentação ecológica? — pergunta completamente extasiada, comovida.

A Natasza nem pisca o olho, caluda de onde ela sabe, apesar da gente saber muito bem de onde ela sabe.

Li alguma coisa no jornal da tv ou nas palavras cruzadas, já não lembro, mas não tem importância.

É mesmo? O mundo é tão pequeno. Não quero me gabar, mas sou a presidente dessa organização — diz a Angela encantada. A gente luta pela emancipação e libertação dos animais, pra que eles tenham sua própria voz nesse debate.

Mas então não tem problema — diz a Natasza toda satisfeita. Só tem que ver se você sabe um poema. Nem precisa ser sobre animais, basta que seja um poema e pronto.

É claro que sei — sorri a Angela, e dos dentes dela, distribuídos sem muita abundância e bastante irregularmente, feito lápides num cemitério, se propaga um fulgor de cadavérica alegria — eu podia até recitar uma das minhas obras.

E aqui como que totalmente reanimada se levanta e limpa a boca e a saia dos restos e respingos brancos, e depois diz: essa por exemplo. Ao Robert. Quer dizer, asteriscos, mas é pro Robert. Vocês entendem. Como se fosse pro Robert, muito pessoal, se bem que ele nunca mais vai ler isso.

E aí ela manda em letra cursiva. Muitas palavras, nem todas sou capaz de apreender, de perceber se têm sentido ou rima. Ela diz pra gente o seguinte, olhando ora pra mim, ora pra Natasza: eis o epitáfio de um homem decaído, tuas mãos impotentes se calam nos bolsos. Se queres saber, jamais existimos. Isso é um minuto de silêncio por nós. E ainda que nos amemos é tão-só em separado. És de tal modo egoísta, que só a ti mesmo abraças.

Ótimo — diz a Natasza e em aprovação balança a cabeça, e ainda me cutuca pra eu fazer também algum elogio — que coisa que você escreveu pra ele, mas era mesmo uma bicha, um puto de um impotente. Se eu tivesse um talento desse eu também ia escrever, um poema assim idêntico ao seu. Pro Lolo. E assinava diferente. Blokus Natasza. Odeio você, seu pervertido pancada, não vou mais ficar com você. Mas vamos ao que interessa. Agora um troço qualquer sobre bicho e rua.

Sobre bicho? — diz frustrada a Angela e matuta um pouco. Sobre bicho não tenho nada, a não ser sobre um tufo de asas coladas, é triste e dá pra incluir na categoria de pássaros. Por causa das asas grudadas, é bem triste.

A gente se olha, eu e a Natasza, feito uma comissão julgadora de concursos de animais. Que que você acha, Forte? — pergunta ela. Só acho que elas já deviam ter chispado daqui, porque tô a fim de comer e essas duas tão aqui sentadas batendo boca sobre literatura. Mas isso que acho é claro que não digo. Não acho nada — confesso, me levantando. Pro meu gosto tá bom, você pode frisar particularmente que é pro Robert. Isso deve amolecer o Sztorm de vez pra esse negócio da ecologia, porque é filho dele.

Oquei, então vambora — diz a Natasza e pega a bolsa da Angela.

Mas aonde a gente vai? — pergunta de repente assustada a Angela, olha pra própria bolsa e pra saia preta com pintinhas brancas. Dá pra ver logo que a Natasza tá se segurando com as últimas forças.

Pro zoológico, pra uma passeata antipolítica, sabe? Devolvam os animais. Soltem nossos bisões. Libertem os guardas.

Depois pega a Angela pelo braço e puxa ela pra porta. Eu atrás delas, porque tô a fim de dar uma mijada. Stop — se vira sem mais nem menos pra mim a Natasza —, aonde você vai? Fico parado sem saber o que responder, qual é, mijar agora é proibido?

Você não vai pra lugar nenhum, Forte — diz pra mim a Natasza —, você hoje já teve seus cinco minutos de speed, você já tem o bastante. No começo era pra ser diferente o plano, mas agora vai ser diferente, como você tá vendo. A Angela vem comigo, e você fica em casa. Dê um tempo, vá se limpar desses miúdos aí pra parecer um sujeito decente e pra poder papar durante a festa uma xoxota decente, que não esteja justo naqueles dias e que vai garantir algum pro seu speed. A gente tá indo, é só, tchau, até a vista.

A Arleta bem bêbada e chapada, uma loja ambulante de sorrisos. Uma máquina de triturar documentos, qualquer coisa que você diga pra Arleta, dali a pouco como resultado sai voando da boca da mulher em forma de sorriso, em forma de fiapos, restos de papel, lixo, confete, e se espalha pelo ar. Uma máquina de jogo, em vez de olhos dois neonzinhos piscando debaixo das pálpebras inchadas de tão chapada, dois faroizinhos de bicicleta a dínamo. Casaco de couro de cobra, uma nuvem de brocado.

Me pergunta se quero um cigarro dela. Digo que se é russo, muito obrigado, lavo as minhas mãos, tô fora desse tipo de negócio. Não quero me atolar nalguma russofilia. Ela diz então que cigarro russo nunca fumou, que tem gente que fuma, o Esquerdo, o Barman, mas ela, Arleta, ela nunca se meteu muito com os russos, praticamente nunca, tirando algumas vezes um tempão atrás, mas não é verdade que tava bêbada, e além disso foi anos atrás, quando ainda não tinham fodido desse jeito o mercado fonográfico polonês, ainda não tavam pilhando a areia polonesa.

Aí quando me dá um Carmen, mesmo sem o selinho de controle, eu pego, porque o que mais me sobrou além de fumar? Então a gente fuma, não diz nada. Dia Sem Russo, festa, estalo e chiado nos microfones, apresentação de dança folclórica do Biedronka e pros mais jovens Fantastic Dance. A fumaça de grill deixou completamente encoberta a cidade, sacrifício de lingüiça, costela e cartilagem animal oferecidos aos deuses em nome da vitória sobre os ocupantes. O cheiro de queimado rasteja pelas ruas em volta do anfiteatro da cidade e mancha aquela parte dos prédios que devia ser branca. A gente virou agora o país da bandeira cinza e vermelha, águia encardida em fundo vermelho com uma coroa coberta de fuligem. A Angela ia gostar, se bem que não sei onde anda agora, na certa por aí tirando a calcinha. Crescimento definitivo do teor de monóxido de carbono na atmosfera natural, a pobre lingüiça-mãe entregue ao holocausto, morte em toda parte, crime em toda parte, animais esquartejados, se pudessem gritariam, mas já não podem, as bocas já foram confiscadas e embaladas em outra embalagem. Laringe de vitela, orelha, olho, tudo moído, embalado em embalagens de duzentos gramas, no inverno que vem vão nascer galantos pretos, no inverno que vem a cidade inteira vai ficar de luzes apagadas, tudo no escuro. A cultura pop põe em cena suas plantas de mentira, gérberas de plástico, palmeiras de plástico, imitações de flores produzidas em lata, em lã de vidro. Voam fogos de artifício, voam papéis de bala, voam folhetos, estouram bolhas de sabão, canecas são viradas nas mesas.

E o céu tá que nem no dia do derradeiro apocalipse, escuro, despencado, se eu quisesse esticar o braço pro alto eu podia derrubar tudo, as costuras iam soltar e a construção toda ia se espatifar em cima da porra da cidade, inclusive todas as sucursais. É o que fico pensando. E os guarda-sóis com a notificação Coca-Cola são feito plantas com grandes folhas brancas e vermelhas clamando aos céus por vingança, viradas pelo lado do avesso. Os talheres de plástico e os pratos de plástico planando pelo anfiteatro da cidade na mesma direção da fumaça, um tipo à parte de vento.

Aí a Arleta diz pra mim o seguinte. Que se eu pagar pra ela uma coca grande com batata frita, me conta uma coisa que sabe com certeza, cem por cento. Fico pensando se vale a pena fazer negócio com uma degenerada dessa. Digo que no máximo uma pequena e mais nada, que é só isso que posso pagar. Ela diz que é informação pra um quilo de speed e um frango assado, mas que vai liberar pra mim porque sou colega dela, amigo, ex-namorado da amiga dela, ex-namorado dela também, o que é claro muda completamente a situação e porque me conhece vai me contar tudo por uma coca com batata frita. Aí digo pra ela me contar e então eu calculo quanto a informação realmente vale. Aí ela diz que oquei, mas que é pra eu não me assustar e pra respirar muito fundo pra não ficar sem fôlego. É que no concurso de hoje da garota mais simpática do Dia Sem Russo, às seis da tarde, quem vai ganhar é a Magda.

Eu tranqüilo. Impassibilidade total. E daí que é a Magda. Quem é aliás essa Magda? Talvez eu tenha conhecido um dia, talvez nunca. Talvez tenha tido com ela um dia algum ponto em comum, mas agora não tenho, tudo acabado com essa cachorra, com essa porra de miss, que já vi aliás em cada situação, só de meia, de unha quebrada, lambendo meus bolsos atrás dos restos de um saquinho de speed, ajeitando a calcinha, vendo televisão e vomitando na própria saia, porque tava tão vidrada no reality show que não foi capaz de se mexer e ir buscar uma tigela. Que se fossem passar tudo num projetor, ia ser um filme superbrutal exclusivamente pra adultos exclusivamente de nervos fortes, porque os mais fracos poderiam não agüentar e pôr os bofes e os ossos pra fora.

E daí? — pergunto meio que indiferente, pra não mostrar nenhuma reação e pagar o menos possível pra ela de pura maldade. Porque essa é a Arleta e se compro uma coca pra ela logo depois aparece a Magda e diz: quero um gole. E isso não pode acontecer de jeito nenhum, porque quem pagou a coca fui eu. Porque essa é uma droga de uma coca envenenada falsificada preta paga com o meu dinheiro e o da minha mãe, e se a Magda chega e diz que quer beber um pouco isso vai envenenar ela, vai fazer mal, com essa porcaria dessa coca fedendo ainda ao meu dinheiro ela vai se engasgar, tossir e vai acabar manchando o vestido e aí ninguém vai pegar ela pra miss. Aí nada de ir pro Ocidente fazer carreira de secretária ou de atriz, porque essas que ficam tossindo ninguém deixa passar pela fronteira, porque carregam germes e doenças que na União Européia não têm direito à existência.

A Arleta porém não perde a esperança de me tirar alguma coisa a mais. Isso ainda não é nada — diz. Continue a escutar, porque essa é uma história que nunca rolou antes aqui na cidade. Ela vai ganhar o concurso porque deu pra um dos organizadores. Mas valeu a pena. Agora parece que ela vai receber de prêmio uma mountain bike e um diadema, e sabe o que mais, um monte de bombom e um vale pra comprar sapato.

E aí já fica difícil me segurar, mesmo me esforçando bastante pra não emputecer ainda mais. Mas aí apesar de todos os esforços, de todas as tentativas, começo a olhar em volta e empurro talvez um pouco forte demais um sujeito que me passa na frente, um pai fodido de dois filhos comprando pra eles uma lingüiça ou qualquer outra merda num pedaço de papel. Ele acaba com o nariz na lama, mas logo levanta ajudado pelos filhos, bate a calça do terno e me diz: me desculpe, meu senhor. Os dois filhos deficientes, um de óculos, o outro do sexo feminino também anormal, limpam a lama da calça dele, tremem em nome da solidariedade genealógica. Aí então digo pra ele já bem emputecido: preste atenção onde anda, puta que pariu, e da próxima vez use anticoncepcional.

Isso com relação aos filhos, que é um pior do que o outro. Afinal de contas pra que é que um panaca desses produz em escala de massa uns estrupícios assim, pra que é que envenena a sociedade com esses trastes pra depois eu ter que trabalhar pra garantir assistência médica pros dois ceguetas inúteis.

Aí ele diz que tudo bem, como eu quiser, e faz um sinal pros filhos que já é pra eles irem, porque ali tá muito caro. Aí a Arleta de repente dispara atrás dele e diz que tô dizendo que é pra comprar uma coca grande pra ela. Ele se volta conscienciosamente, os filhos agarrados na calça, os óculos rachados num ponto nevrálgico, e já quer comprar quando digo: stop. Não compre nada pra ela. Ela não vale isso, pode beber do rio.

Aí ele treme todo, até fico imaginando se com o choque não se arrebentou lá dentro dele o esôfago ou alguma outra pelanca ou duto. Olha uma vez pra Arleta, outra pra mim, e deixa pra trás na maior pressa o negócio todo, em ritmo acelerado. A Arleta ri, diz: você deu um bom jeito nele, nos últimos tempos tá cheio por aqui de uns elementos greco-católicos, que ficam trançando por toda parte e respirando o mesmo ar que a gente.

Pra todos os efeitos não me interessa merda nenhuma o que a Arleta acha sobre esse tema. Pra todos os efeitos não me interessa merda nenhuma o que a Magda apronta. Pra todos os efeitos não tô emputecido. Mas meus pés vão pisando o chão de um jeito que a cerva pula das canecas nas mesinhas. Então olho pro poviléu, o lumpemproletariado que avança feito uma onda na entrada, segurando nas patas sujas algodão-doce branco e vermelho e salsichas brancas e vermelhas. E isso me emputece ainda mais, porque primeiro é falta de higiene, branco e vermelho, ou vermelho, ou qualquer outra cor, e depois salmonela e vermes, nas cores citadas ou em outras. E depois o vomitório, uma onda branca e vermelha de vômito atravessando a cidade, uma onda de vômito nitidamente visível do espaço, pra que os russos saibam onde é nosso país e onde é o deles, e que tipo de ação comum solidária pode existir na Polônia diante dos vorazes invasores. A Magda não tá em lugar nenhum, com certeza tá escondida atrás dos bastidores ou num trailer e numa velocidade-relâmpago dá a bunda pro operador de som pra ele aumentar o volume quando ela tiver que dizer alguma coisa, tipo o que gosta de comer, ou qual é o clima preferido dela.

Mas tá dureza me segurar; porque ela que fique com a mountain bike e saúde, e com uma bola de praia ainda e uma viseira pros dias de sol, tudo do melhor, mas oficialmente não vai dar pra ninguém na minha ausência, de jeito nenhum. Então sem querer tenho na frente dos olhos o tal organizador. Engenheiro mestre presidente. Como é animal com ela, como é brutal, em uma mão uma pasta, na outra, uma calculadora, e é assim que traça ela, calculando a receita e a despesa da Sociedade dos Amigos das Crianças Polonesas, calculando a cotação do dólar, calculando a pensão da mulher dele há vinte anos, calculando nos dedos a idade dos próprios filhos. A Magda pergunta se tá bonita o bastante pra ele, ele enquanto isso assina o recibo das cartas registradas da procuradoria regional. Diz pra ela que tá sim muito bonita, que tá tão bonita que é pra não se virar pra ele agora porque senão erra as contas, erra os cálculos, erra na paciência, erra os bloquinhos do Tires, por isso vá calando o bico e se concentrando mais em dar.

E escute só o melhor — diz a Arleta quando vê que bem ou mal causou alguma impressão em mim e que tô puto de raiva e de ódio. Escute aí o melhor porque é só agora que vai ficar quente — diz — porque esse tal organizador, o tal presidente, quer levar ela embora da cidade e se mandar pro Reich. Talvez até me leve também, se tudo der certo e não tiver problema com a papelada. Porque tô fichada por participação num quebra-quebra aí, mas parece que dá pra dar um jeito nisso, é o que ele diz. Essa é a informação. A Magda tá indo embora. Se mandando pra países quentes. Junto comigo, aliás. A gente já não se vê mais, Forte, então pelo menos uma vez você podia ser legal no fim de tudo: uma coca com batata. Pode ser só a batata, porque tô com a maior fome.

Ainda fico um pouco parado. Parado, e as palavras que ela acabou de dizer ressoam na minha cabeça feito uma transmissão de rádio direto do local do acidente, do próprio local do crime, e os alto-falantes ainda emitem o último suspiro dos cadáveres, os últimos gemidos dos que acabam de ser mortos, o ruído das unhas crescendo ainda. Magda. Levar embora. Pro Reich. Presidente. Todas as maçanetas giradas ao mesmo tempo, o visto de entrada pra poloneses carimbado no passaporte, as barreiras caem na cabeça dos passantes, a Angela morre no meio da transa com o Sztorm, cuspindo pela boca um bebezinho preto, carbonizado, a Natasza cospe no chão e a saliva dela pára no ar na metade do caminho. A Arleta se inclina e tirando uma batatinha de uma fresta entre as tábuas da mesa prende a unha numa ripa. A mulher no balcão queria dizer: obrigada, bom lanche, e só consegue dizer: obrig. Porque tudo de repente se interrompe pra mim, a festa toda retida a meio passo, a um sinal todas as crianças abrem as mãos e os balões brancos e vermelhos se erguem rumo ao céu, o que com certeza dá pra ver do espaço, é impossível superestimar a escala do fenômeno. Tudo de repente como que se paralisa, a festa toda petrifica, a festa toda borrifada com spray pro cabelo, fim. Alguma coisa tava caindo, alguém tava rindo, lá no palco um grupo depois do outro ia tocando uma canção e depois outra ainda. E agora fim, ponto final num período várias vezes composto, as bandeiras brancas e vermelhas são arriadas a meio pau, no tênis da Arleta o cadarço desamarra. Fim desse conto de fadas, o teto do anfiteatro racha e desaba bem em cima de quem tava se apresentando.

Ei, Forte, você não vai me sacanear agora, vai, Forte? — diz a Arleta.

Fico calado. Não digo nada. Fico olhando. Olhando. Sem dizer nada.

Mas Forte, tô roxa de fome, se você não me pagar um rango qualquer vou cair morta aqui mesmo de fome — se queixa a

Arleta e vendo um pedacinho de lingüiça enfiado entre as tábuas da mesa tira ele com a unha e mete na boca, mas logo depois cospe de volta e diz: era outra coisa, caralho, e não sei o quê.

Então trate de ir morrendo o mais rápido possível — respondo pra ela com uma certa agressividade, me inclinando pra frente. Morra aí de uma vez — digo. Porque de um jeito ou de outro não vai ganhar nada, só vai perder o pouco que ainda tem de posição ereta e vão precisar fazer um caixão especial pros restos mortais dela, com uma curvatura frontal e recipiente adicional pras mãos esticadas em pose de súplica.

Se você não compra, então vou pedir pro Lolo — se ofende a Arleta.

Mas já não me interessa o que mais ela tem pra dizer, o que acha e o que não e quem vai me trazer aqui pra execução do patrimônio dela, porque agora, no que me diz respeito, ela pode telefonar até pro próprio Wargas dizendo que prometi comprar batata frita pra ela e agora tô inventando desculpa, e o Wargas pode me dizer: já que você prometeu seja amigo dela e agora compre essa porra, que aí respondo: não compro, não compro mesmo, nem pra ela nem pra você, e podem os dois tomar no cu reciprocamente, que agora não me interessa merda nenhuma se faço boas ações ou não, que parágrafo é esse e pra que andar eu vou depois da morte, pra cima ou pra baixo. Isso não me interessa caralho nenhum. Porque não vou nem ficar pensando se Deus existe ou se Deus não existe, porque mesmo que existisse já teria ido dormir há muito tempo se mandou pra cima da Magda esse escroto desse presidente. Sem asas, mas de pasta. Santo talvez não, mas montado na nota. E é só um minuto pra eu afastar com a mão esse poviléu que fervilha na maior idolatria ao redor da rainha lingüiça e da batata frita. Parece que algumas pessoas caem, mas já nem vejo isso, se pintar alguma fumaça a coisa toda vai engrossar pro lado da Arleta, porque ela tá parada me olhando e diz: Forte? Forte, eu tô falando. Não seja sacana e me compre aí o que deve, que aí não telefono pros meus amigos. Forte?

E já vai esquentando bastante, porque algumas pessoas perderam em razão do meu golpe a comida que tinham acabado de comprar, e que agora tá nadando na lama, fumegando. E agora Arletinha, mesmo com você olhando pra ela cheia de gula, ja era, já era a comida, agora eles vão pegar e matar você, e além de não passar nem perto de uma coca com batata, além de não darem nada pra você, ainda vão arrancar aí de dentro, a título de indenização, os restos do que você comeu, aquela batata frita tirada da fresta entre as tábuas. Porque tô dizendo até a vista pra você, se bem que com certeza a gente agora já não se vê mais, pelo menos da sua parte.

E vou tranqüilamente. Na direção em que acho que vou encontrar ela. Observo ao redor. Sorvete de máquina branco e vermelho. Bonecas polonesas em trajes típicos da Masúria e de outras regiões. Dez zlotis — dez tiros com espingarda de ar comprimido num russo de cartolina. Se fossem tiros na Magda eu pagava. Paf — e cai um sapato. Paf — e cai uma perna. Paf — e cai a bunda. E isso chega, que fique assim, a Magda sem bunda não pode dar pra ninguém, e que fique assim mesmo, não vou ficar mais judiando dela, talvez até aceite ela de volta assim, talvez cuide dela.

Eu vou. Totalmente tranqüilo. Passo a passo. Primeiro preciso ir empurrando o poviléu, depois ele já sabe o lugar dele e em pânico recua aos bandos na minha frente, abre caminho. Guinchos dos pisoteados, saias rasgadas nas cercas, bandos se atropelando, lingüiças voando na lama. Caras estupefatas me espiando. Eu vou. Tranqüilo. Porque sei o que tenho que fazer e ninguém agora vai chegar e me dizer, Forte, Forte, calma, tudo vai ficar certo. Ninguém vai me meter um cigarro na boca e dizer: fume, fume, Forte, isso passa, não fique chateado com a Magda, ela é assim. Eu mesmo pego um cigarro, acendo apesar do vento. E quando pego o fósforo se afastam ainda mais, prendem a respiração, têm medo de que eu queime isso tudo. Que eu queime todas essas mulheres grávidas, as saias membranosas delas enfunadas pelo vento, esses ternos amarrotados, os carrinhos cheios de bebês feito um produto derivado qualquer, o algodão-doce nos pauzinhos. Mas não faço isso, porque não tô com vontade. Sei muito bem o que tenho que fazer.

E enquanto eu tô indo e já tô na cola de onde são os bastidores, o vestiário, esbarro no Kacper. No Kacper. O que é completamente fora de hora. Porque tinha uns dias que eu não via ele. E ainda por cima tá com alguma garota que nunca vi antes.

O Kacper tá com os olhos estufados pra fora de tanta anfa, polidos e brilhantes que nem puxadores de armário, executando uma série de movimentos fora do programa. Pergunto se ele não vai me apresentar a amiga, que acho que já vi em algum lugar. Aí ela diz: Ala e me dá a mão com um anel dourado que logo percebo. Estuda economia — diz o Kacper e põe a mão na bunda dela, e até estranho que não se derreta todo de satisfação. Suave, mas decidida, ela tira a mão dele dali e diz: mas ao mesmo tempo tô terminando um curso de secretária e de alemão.

Com esse curso vou poder trabalhar em qualquer lugar, em chancelarias, escritórios.

Aí nem tenho tempo de reparar nela direito, porque o Kacper me pergunta aonde é que tô indo. Digo, me fazendo de indiferente, que tô indo de bobeira assim, atrás da Magda. Aí vejo que ele fica meio nervoso, olha de um lado pro outro, pega um cigarro. Nisso ela, a tal da Ala, põe a mão no maço e olha pra ele como se tivesse vindo da distante Monar pra salvação moral das vítimas da nicotina. Aí ele, tá se vendo que muito puto, com um gesto canino guarda o maço no bolso e diz:

Venha com a gente, Forte, a gente bebe alguma coisa, fala disso e daquilo, eu conto qual é com a Magda.

A mocinha nisso de novo fica de alerta como se tivesse levado um choque e diz: isso não mesmo, Kacper, nesse caso volto pra casa. E é como se ela freqüentasse a academia da escola, com aquele negócio de influência nociva do álcool e do cigarro sobre a condição física e a prática de esporte.

Aí o Kacper meio que amolece, se derrete, mas faz uma cara boa, tipo tá tudo certo porque ele também freqüenta a academia.

Tô dizendo beber, não tô dizendo encher a porra da cara, se embriagar, só tô dizendo uma cerveja, copo de duzentos ml.

A garota então fica pensando o que tinha que dizer agora, o que tava no roteiro, e finalmente lembra e diz: mas Kacper, você sabe que sempre se fala isso, isso é só enganar a si mesmo, cortina de fumaça moral. Você sabe qual é o trato entre a gente e se você me leva a sério você devia respeitar isso.

O Kacper olha pra mim como que pedindo desculpas e diz angustiado:

Forte, a gente toma um refri — e depois, quando a garota vira a cabeça atrás de um passarinho que revoa ou de um balão, ele faz pra mim uns gestos dramáticos com as mãos e os olhos, o maior teatrinho, e a lição da história é que a garota não é de ir dando e que no geral resiste. Mas quando a gente se vira na direção dos quiosques de bebida, ela deixa ele pegar o mindinho dela e o Kacper me indica com os olhos que talvez ainda saiam dela pessoas normais, dessa tal de Ala, que talvez dê pra tirar alguma coisa dela, algum prazerzinho.

Então a gente vai. Aparentemente isso é contra meu plano, contra minhas intenções até aquele momento, mas penso que se eu beber um pouco o plano todo vai ganhar linhas mais nítidas, todas elas levando pro vestiário, atrás dos bastidores. Oquei. O Kacper compra uma coca pequena, pra tal de Ala uma água mineral e pra mim uma cerva. O.k. A gente senta. Ele se remexe todo, se mandasse um tiquinho a mais que fosse de speed explodiria em pedacinhos. As pernas pulando. Olha uma vez pra Ala, outra pra mim. A Ala diz que precisa ir ao toalete e olha expressivamente pro Kacper, pra que na ausência dela ele não entorne de uma vez a coca inteira por acaso, pra que não entre numa briga. A gente olha enquanto segue na direção do banheiro. O visual é o seguinte: antes de mais nada pulôver de gola rulê. O cabelo cinza, meio cor de rato, preso num coque por um grampo com a inscrição Zakopane 1999. No pescoço uma correntinha com uma cruz por cima do pulôver que eu já tinha notado antes. Depois: calça de um terninho ou de um conjuntinho, mais estreita embaixo, e sandália ortopédica. É do tipo galinha doméstica. Limpa, cozinha, converte pro catolicismo. Mas não é pro Kacper, disso ninguém me convence. Antes ainda de abrir a porta do banheiro ela dá uma espiada intranquila, e o Kacper acena com a mão pra ela que tá tudo bem. E é só ela fechar a porta ele logo começa a se bater nos bolsos com um fervor exorbitante, tira um saquinho e no olho derrama um pouco no copo, sendo que metade desperdiça, porque as mãos dele tão tremendo. Depois bebe avidamente até o fim, esfrega o resto na mão e lambe os dedos. Depois finge que não aconteceu nada, nadinha, cotovelos na mesa, mãos na toalha, tava ventando, mas parou de ventar, tava chovendo, mas parou de chover, relax, sossego, nada mudou, o fim do mundo não veio.

É de matar — me diz repentinamente depois de um momento de silêncio. Tô com ela há dois dias e já tá falando pra eu ir na casa dela pra um almoço com os pais. Dar a bunda por enquanto nem pensar, isso já saquei. Se bem que eu ainda tinha esperança que em breve isso ia mudar, porque senão, pro caralho, a gente vai nas férias pra casa do idoso.

Depois olha com medo na direção do banheiro, porque passa um tempão e ela não sai.

Na certa entupiu — cochicha o Kacper meio histérico e fico pensando se talvez não tenha enlouquecido — caiu dentro do vaso. Vai sair daqui a pouco com um visual novo. Nova cor de cabelo e nova cor de rosto. He, he!

Depois, olhando em volta, meio que se afunda pra baixo da mesa e acende um cigarro dos meus. Espere, diz, espiando ao redor cheio de medo. Antes daquela vaca pró-família voltar eu preciso dizer: puta que pariu.

Então repete algumas vezes: puta que pariu e fodeu, caralho e porra.

Mas logo se abre o banheiro e sai de lá a Ala, que pelo visto não entupiu, tá viva e muito bem, ajeita o elástico da calcinha e olha ao redor orgulhosa, imensamente feliz, uma rainha totalmente evacuada. O Kacper na mesma hora me mete o cigarro na mão, pegue aí, pegue aí, caralho, tire isso de mim agora. Aí preciso fumar dois cigarros ao mesmo tempo, pra evitar desperdício.

Ela senta. E na bucha o seguinte: me desculpem, mas precisei usar o toalete um momentinho. Mas já estou aqui. Sabem, já que a gente tá aqui, então vou contar pra vocês uma história. Quer dizer, não é bem uma história, é um filme que não faz muito tempo pude ver no cinema Silverscreen. Na verdade, fui ver com os meus pais e a minha irmã, e também com uma prima minha que tava visitando a gente. Ela trouxe de presente vários produtos à base de carne, mas infelizmente mamãe precisou jogar tudo fora, porque têm acontecido muitos casos de salmonela, estafilococo.

O Kacper chacoalha as pernas e olha pra todo lado em volta, às vezes se mete sem olhar pra ela: boa!

Mas não me interrompa — diz ela então, levemente ofendida — você nunca me deixa terminar, mesmo com a gente se conhecendo há dois dias. Continuem escutando. Aí a gente foi pro tal cinema. E não é que perdi em algum lugar o meu ingresso! A minha irmã me diz: sabe, Ala, você é muito esquecida. Que droga, aí fiquei brava, porque me acontece mesmo de ser distraída. É do meu caráter e ninguém consegue mudar isso. Eu disse então pra mim mesma: puxa vida, esse ingresso precisa estar em algum lugar. E imaginem só, sabem onde tava? Bem no meio da minha bolsa, bem assim por cima. Feito aquele ditado: é mais escuro debaixo do lampião. Claro que sem nenhum subentendido. Então a gente entrou. Já fui várias vezes em muitos filmes no Multikino, mas por exemplo essa minha prima, a Aneta, ela vem de uma cidadezinha bem pequena e pra ela aquilo foi totalmente exótico. Vou dizer pra vocês, fiquei até com vergonha, todo mundo olhava pra ela. Mas não tem importância, isso é só uma digressão. E começou o filme. O título não tem importância, com certeza vocês viram. Tinha uma mulher e um homem, com certeza vocês assistiram. Várias peripécias, primeiro ela deixava ele, depois ele voltava pra ela, vocês sabem. Tudo se passava na América. Acho que o melhor do filme foi quando teve o acidente de carro. Quer dizer, do ônibus com o carro. Eles tavam indo justo naquele ônibus, mas ainda não se conheciam. E caíram um em cima do outro, foi engraçado demais, até minha mãe riu e achou que foi muito engraçado. A pior cena na minha opinião foi quando o mocinho e a mocinha vão pra cama. Vocês entendem. Fazer amor. Me senti constrangida à beça, porque tava sentada bem do lado do papai, tava encostada nele com o braço. Pareceu que ele também tava se sentindo constrangido. Ele pensa sempre que sou a pequena filhota dele, que não sei nada do mal desse mundo, desse verdadeiro lodaçal. E sabem como acabou?

Forte, tá sabendo que a Magda vai embora? — pergunta o Kacper na maior seriedade, olhando pra mim.

Me desculpe, mas não sei qual é o assunto — diz pra ele a Ala — vocês tão falando de alguma Magda? Tenho uma amiga que se chama Magda, é do mesmo ano que eu, ela é ótima em sociologia de macroestruturas. Mas é uma cdf que só vendo. O nome completo é Magda Stencel. Os pais dela são os dois formados em direito.

A gente tá falando de outra Magda — diz pra ela o Kacper bem pausado e claro, como se estivesse falando alguma língua estrangeira, assim meio que soletrando. E fico com medo de que daqui a pouco jorre sangue, que tenha fumaça, porque devagar ele vai perdendo a paciência e o bom coração. Se bem que tá com uma cara absolutamente inocente, parece até que imprimiram uma membrana virginal na testa dele.

Sabe, Kacper, tenho a impressão de que você se alimenta mal — diz de repente a Ala — você é assim nervoso, tá sempre assim irritado. Relaxa um pouco, você tá tão tenso, tá até trêmulo. Esse seu lado eu não conhecia.

O Kacper olha nervosamente em volta e diz: vou mijar, como se dissesse: que castigo, meu Deus.

Aí toda recatada ela baixa os olhos até a bolsa de couro, tira um lenço de papel e enxuga da mesa o que escorreu da coca e da minha cerveja.

Escute — diz pra mim — Andrzej, é Andrzej mesmo seu nome, né? O meu é Ala. Queria que você me dissesse uma coisa como amigo. Francamente. Até a pior das verdades. Porque na minha opinião a pior verdade é melhor que a mais linda das mentiras. O Kacper se droga?

Não — respondo. Olho a lingüiça fritando, as bandeiras revoando, as canecas de plástico sendo viradas.

Nada de narcótico, sério? — diz a Ala não inteiramente convencida — nem pesados, nem leves? Que bom, porque não admito esse lodo. Sei que alguns dos meus conhecidos da faculdade tão metidos com isso, mas não suportaria se meu namorado se atolasse numa decadência dessas. Dizem que destrói a mente, destrói a massa cinzenta, as pessoas ficam completamente doentes depois, acabadas física e psiquicamente. Começam a andar em más companhias, vendem coisas de casa. É horrível.

Faço um sinal com a cabeça entre o sim e o não pra mostrar que concordo com ela.

Depois disso ela continua: escute, Andrzej, você tá com algum problema? Você parece deprimido, meio por baixo. Diga francamente. Talvez eu ajude você, se puder. Eu mesma passei por coisas ruins, não tem muito tempo rompi com o meu namorado. A gente ficou junto dois anos. Flores, beijos, você sabe. Depois sem mais nem menos fim. Fui embora. Ele estudava relações internacionais, talvez você conheça. Vou dizer francamente como foi. Porque assim por natureza sou uma pessoa franca, espontânea, e gosto de pessoas assim. Sem complexos, sem falsos tabus.

Fodeu, penso.

E o que aconteceu, ela diz, foi que quando a gente já tava um ano e meio junto, pra comemorar, ele trouxe flores, vinho. Fiquei brava, porque ele não bebia e eu também não. Você me desculpe, mas isso é muito pessoal. Bom, depois ficou claro que por trás daquilo tudo tava a famosa prova de amor. Eu digo, puxa, eu não sou uma dessas oferecidas. Perguntei pra ele se o meu carinho, se a minha proximidade não eram o bastante, porque senão, então a gente já não tinha o que conversar. Aí a gente brigou feio. Posso chamar você de Andrzej? Mas também que merda, poxa, me diga, Andrzej, isso foi certo da parte dele, isso foi responsável? Ele tinha vinte e um anos, eu tinha vinte.

Você conhece a lenda da maçã mordida que uma vez tocada apodrece, fica cheia de bicho?

Aí alguma coisa começa a não me cheirar bem. Fale aí, continue falando — animo ela e vou um instantinho até o balcão. Pergunto se não sabem onde tá aquele carinha que tava sentado com a gente. Respondem que ele tava sentado com a gente, depois foi no banheiro, e quando saiu tinha uma garota esperando por ele e os dois foram pra algum lugar juntos.

Pergunto como era a garota que foi com ele. Respondem que era loura, cabelo comprido e um vestido assim elegante de tule com decote, e o olho esquerdo piscando.

Na hora então já sei: Magda.

E quando volto pra mesa totalmente fora de mim ela ainda tá na mesma posição, feito uma apresentadora de jornal de televisão coberta de laquê, informando a nação inteira que anota com a maior das atenções: porque não sou uma garota fácil que nem as outras. E tenho esperança de que você, Andrzej, concorde comigo quanto a essa questão.

É — respondo bem curto e grosso, porque depois dos acontecimentos dos últimos minutos tô numa de minimal. Porque acabo de constatar que não. Não mesmo. Ela pode falar o que quiser, pode começar a cantar todas as músicas que conhece, inclusive as de natal, com videoclipe e legenda embaixo. Pode contar todos os pecados desde a primeira série da escola primária, dando a quantidade e o grau de desenvolvimento e considerando a relação entre a freqüência e o crescimento da massa corporal. Agora ela pode tudo. Pode relatar como foi a operação de apêndice dela e os estágios de eliminação dos dentes de leite e de crescimento dos definitivos. Pode, faça o favor. E eu só vou olhar. Bonita só mais ou menos, se bem que eventualmente pode até ser. Eventualmente posso virar a cabeça e olhar pra outro lugar, pros móveis, a vista da janela. Esse cabelo deve estar cultivando desde a primeira comunhão, e só vai cortar depois do casamento, pra que os parentes ganhem uma lembrancinha da felicidade dela na vida de casada. Pra falar francamente, me vem uma certa repugnância só de pensar, porque sei que só vai ser com muita dificuldade, com muito esforço, feito se eu tivesse que partir pra cima da minha própria mãe ou pior: se tivesse que usar alguma ave doméstica não-identificada, uma galinha sem cozinhar direito. Porque a garota tem uma cara meio lívida, indecidida, que me dá um certo nojo, me irrita.

E por causa disso fico bastante seco e grosso, e justo em função desses meus pensamentos sobre a lividez da figura dela me dá vontade de fazer alguma maldade, algum sarcasmo.

Você mora num porão? — puxo conversa fingindo que é sério. Porque de um jeito ou de outro, fazendo rodeio, dizendo que é bonita e que é linda, ou não, eu vou comer ela, e isso é inevitável, não tem perhaps.

O Kacper, tudo bem, me tirou a Magda. E apesar disso ser um absurdo, apesar disso ser pura sacanagem sem aditivos, sem mistura e sem massa de comprimido, cem por cento sacanagem sem açúcar e sem corante, apesar disso ser um choque completo para mim, um tombo, uma violência à minha visão de mundo, mesmo assim vou sair dessa sem prejuízo e até com algum a mais. Aí conto baixinho nos dedos. Ele agora tá comendo a Magda, e isso é ponto pra ele. Mas a Magda dá pra qualquer um, então é um ponto e meio a menos pra ele. Eu vou comer a Ala, mesmo sendo um ponto a menos pra mim por causa da figura dela. Mas como ela não deu pra pilantra nenhum por dois anos e como há dias o Kacper não conseguiu comer ela nem uma vezinha, são três pontos pra mim.

Ela olha surpreendida e pergunta: num porão? De onde você tirou isso? Papai é professor, e mamãe também é professora. A gente mora numa casinha só nossa aqui perto. Fico feliz por a gente não morar numa quadra cheia de blocos. Em geral isso é assim meio infantil, mas eu crio periquitos-australianos. Esse pássaro inteligente e companheiro é originário da Austrália e vive lá em grandes bandos, na Polônia o periquito-australiano é o periquito doméstico mais popular. É pequeno, não dá trabalho pra criar, e o macho você pode ensinar com facilidade a imitar vários sons diferentes. Pode parecer bem monótono, mas a gaiola precisa ser limpa todo dia.

Enquanto escuto essas histórias marítimas dela decido passar a um ataque maciço, invasão, bombardeio, assalto. Digo então que ela lê muito, se bem que ao me sair pela boca isso soa quase como se eu dissesse: não fique ofendida, mas tô com vontade de matar você.

Obrigada — diz — obrigada, Andrzej, mas vou dizer pra você como amigo que, independente do que você esteja sentindo, por enquanto é melhor a gente continuar como tá. Não queria conhecer outros rapazes antes de tudo se ajeitar. Mas isso também não significa que a gente não possa se tornar bons amigos. A propósito, tenho uma perguntinha, você viu o Kacper por aí?

Aí aponto pedras e carabinas contra as castanheiras, o vingativo exército dos invasores pesadamente armado marcha com ímpeto pra cima da Ala, bem no meio do pé de sandália ortopédica.

Veja... — dizendo isso, olho uma vez pra ela, outra pro meu copo vazio. E se bem que ela seja dessas que não se deve tocar nem com um pedaço de pau por cima da roupa, porque se corre risco de contaminação tanto com essa doença tóxica grave do pulôver de gola rulê quanto com coisa incomensuravelmente pior, sei que preciso, porque é essa minha relação com ela como representante do sexo masculino em idade de reprodução. Então digo o seguinte, bem triste e como que constrangido: veja, Ala, posso chamar você assim: Ala? É muito difícil pra mim dizer isso, mas preciso ser franco com uma garota como você. O Kacper é um criminoso procurado, um estuprador de mulheres. O Vampiro de Zagłębie II, filme erótico USA, ponto final. Aberração total, desvio antinatural do george pra mulheres indefesas e puras como você. E chega de falar, porque isso não é assunto pra bate-papo com cerveja e palitinho. Isso já não é bobagem, não é repreensão do diretor e multa administrativa de dez zlotis em parcelas.

Vejo o choque de uma ponta à outra e a súbita atrofia do rosto dela em direção ao chão. Aí sigo em frente, marcha triunfal das tropas macho-masculinas pelos dedos das ilusões virginais. A haste do estandarte fincada na sandália ortopédica, um george internacional adeja orgulhosamente ao vento e mostra um fuck you.

Sabe, Ala, sinto muito dizer isso. Pois é, o Kacper. Dez anos de condicional, executor judicial, irregularidades no serviço militar, pensões por todo o território do país. Produção de filhos extraconjugais ilegais a cada passo. Onde quer que pare, faz um filho sem dono com numeração adulterada. Por impulso. Viu quando você foi no banheiro, naquela hora ele olhou pra você

"E você, você é assim econômico?"

de um jeito que assim que vi você a primeira vez eu senti, ele quer de você uma coisa só, e o que é, eu sei e você também sabe.

E depois de uma apresentação sobre temas martirológicos, de recitar um poema sobre as vítimas do levante, dá pra sentar tranqüilo e fumar. Inteiramente satisfeito comigo mesmo pego um cigarro. Inteiramente apavorada a Ala olha pra mim no mínimo como se tivesse lido no mural na portaria ao chegar em casa que amanhã vai morrer pelas próprias mãos e que a decisão é irrevogável. De repente dá uma risada em maiúsculas e diz alguma coisa no estilo você é mesmo nojento.

Você pode rir, mas tô falando sério — afirmo com a cara bem fechada. Existem provas disso, muitas provas, muitas mulheres choram por causa dele tarde da noite. Pelo menos dez nesta cidade, cem na Polônia, entre elas cinqüenta russas. Porque, você vai me perdoar, mas é um depravado, um portador de perversões impecavelmente ocultadas, a gente continua como tá, a gente continua como tá, e na realidade só interessa a ele uma única e mesma coisa, todo mundo sabe aliás o quê.

Você tá brincando, né, Andrzej... tá me fazendo de boba... — diz, se bem que era melhor não ter falado, porque assim que fala fica pálida, fica com a aparência pior do que nunca, parece até a foto 3x4 da própria identidade completamente lavada e enxugada, sem traços do rosto nem sinais particulares. O grampo Zakopane 1999 feito um clipe torto que ela segura com as últimas forças.

Tô dizendo pra você e tô tão certo disso quanto do meu nome, sobrenome e do sobrenome de solteira da minha mãe — respondo tristemente pra ela. Sei disso de primeira mão. Ainda bem que foi embora. A gente ficou sozinho, pode conversar sossegado. E ele que instale aquela fábrica de filhos bastardos em outro lugar, numa garota boba e fácil, não uma feito você. Porque ele não é digno de você — adiciono já em pleno âmbito das fantasias eróticas, porque sei que apertei o botão certo e que o dominó tá se movendo.

Essa é boa! — ela diz e olha pra frente, bebendo da garrafa de água que há muito tempo tá vazia. Se dissesse isso pra mamãe, então até eu fazer vinte e um era proibição de sair de casa na certa. Talvez até de olhar pela janela. Ainda não consigo acreditar que aquele patife quis me prejudicar de um jeito tão pérfido, talvez quisesse até me traficar pra Alemanha. Era carinhoso comigo, agradável. É verdade que algumas vezes me ofereceu cigarro. Isso devia ter me dado o que pensar, porque afinal de contas mulher não fuma. A fumaça do tabaco mata os bebês antes de nascerem, mata os glóbulos no sangue, tem uma ação destruidora no aparelho respiratório. As estatísticas falam por si sós e pra você, Andrzej, o meu conselho é que você largue essa porcaria, que mande isso à merda, como se diz. Apague, antes que você mesmo apague. Me desculpe, mas vou contar pra você uma certa anedota que devia dar muito o que pensar sobre a sua atitude. Antigamente papai também fumava e isso foi um erro da parte dele. Essa situação durou por vinte anos, até que certo dia ele ficou doente. Sem mas, nem meio mas. E nada ajudou, nem ventosas, nem vitaminas, no fim foi preciso tomar antibiótico. Desde essa época ele disse pra si mesmo: não. Não vou mais me envenenar, tenho mulher, tenho duas filhas maravilhosas. E largou. Desde essa época ele come balinha todo dia.

Landrynka. Mentol. A mamãe não gosta, porque sai bem caro. Mesmo comprando no atacado.

Então olho em volta um instante, quatro da tarde. A gente ainda consegue voltar antes que as luzes se acendam e que a Magda diga lá o que acha do clima preferido dela. E então já vai estar tudo acabado, a porra toda da guerra por desejar a mulher do próximo, pela eficiência do george e pela perícia em fechamento dos olhos. E o resultado da guerra todo mundo já conhece. Eu — dois graus de dioptria, e o Kacper — zero vírgula cinco.

Então tiro a mão do bolso e como que por acaso passo ela por cima da mesa, e por acaso e sem querer afasto os cabelos do rosto da Ala. Finjo imediatamente que me pego em pleno gesto inconsciente e recolho minha mão, que limpo às escondidas debaixo da mesa de todos os micróbios e protozoários que podem passar pra mim dessa garota e me emplastar inteiro, pondo no meu jeans seus ovinhos escorregadios. E desses ovinhos em poucos dias vão nascer primeiro óculos de armação dourada, depois uma cruzinha numa correntinha, e por fim vai sair rastejando deles um pulôver de gola rulê, o que já vai significar a morte, o meu imediato falecimento.

Vamos pra minha casa — digo bastante ofendido, porque essa história de micróbios e insetos bebedores de sangue me irrita, e como se isso fosse pouco acabo lembrando a festa verdadeiramente satânica que tá armada na minha casa, com oral, anal e sangue, e me ocorre pensar se por acaso a Izabela não voltou e acabou morrendo só com a visão da cama. Ou então pra sua — acrescento então rapidinho.

Mas se a Ala era virgem no duro, isso nunca fiquei sabendo com as minhas próprias mãos. Por quais motivos, isso mais tarde. Também nunca fiquei sabendo se era mesmo mulher. Porque suspeito que não é bem isso não. É alguma coisa intermediária. Uma galinha. Uma ave doméstica. Uma planta de vaso. Um espécime típico desses bichos que gostam do escuro. Suspeito que usa pó em pedra e entre as pernas tem tudo costurado e chuleado pra depravado nenhum vir atentando contra a santidade dela. Porque é provável que seja santa. Não comete pecado nenhum. Não toma bebida alcoólica e não fuma e nem tem relações antes do casamento. Por esses méritos invulgares vai ganhar em breve medalha e diploma da sociedade dos amigos da moderação pela intransigente oposição aos atos pecaminosos das pessoas. Por esses méritos invulgares vai pra um céu separado só pra não-fumantes, onde vai ganhar uma poltrona só pra ela na sala de recreação. Vai ficar lá sentada que nem agora, com uma perna cruzada em cima da outra, folheando as páginas de uma revista de mulher intitulada *Seu Estilo*.

Sabe, Andrzej? — vai gritar lá pra baixo na direção do inferno, onde vou estar sentado fumando os tocos, as guimbas que as pessoas jogam fora, porque não vai me sobrar nada além disso — é interessante demais essa revista. De verdade, alto nível. Tem matérias interessantes, entrevistas, palavras cruzadas. Você devia ler e julgar por si mesmo. Aparentemente é uma revista pra mulheres, mas na minha opinião um homem também pode encontrar aqui muita coisa de interesse, informações, dicas. Vou jogar aí pra você alguns números, e especialmente o meu predileto, de maio. Foi publicado nele um diário muito bacana e interessante. A autora se chama Dorota Masłowska e tem dezesseis anos. Apesar da diferença de idade acho que a gente podia se conhecer, ficar amigas. É uma pessoa interessante, original, tem dotes artísticos, cria, escreve. Numa idade dessa isso é surpreendente, intrigante. Quando às vezes escreve alguma coisa dá até vontade de rir ou de chorar. E também tem senso de humor. Se bem que ao mesmo tempo acho que ela é uma pessoa bastante perdida no mundo contemporâneo, tá revoltada, tá fumando. Acho que se a gente se conhecesse e ficasse amiga ela teria uma chance de mudar pra melhor, de se corrigir, e a vida dela, os sentimentos, tudo ia ser mais fácil. Porque seja lá, Andrzej, o que você pense de mim, sei como é, nem sempre fui assim como sou agora. Eu também já briguei com a mamãe, quis ser diferente, é, pensei até em cortar o cabelo, uma mudança completa da minha personalidade. Mas a mamãe o tempo todo continuou minha amiga, às vezes era severa, mas acho que tudo foi pro meu bem.

Enquanto ela fala tô sentado no sofá-cama e olho a janela, onde ela tem grudados com fita adesiva trevinhos de papel de seda verde. Além disso tem um armário com portas de vidro onde guarda em ótimo estado de conservação cadáveres de mascotes, tipo cachorrinho e ursinho.

Em duas ripas tá preso na parede um cartaz do filme *Rebelde sem causa*. Ela tem também muitas lembrancinhas, uma caneca de porcelana inquebrável com a inscrição Sagitário. E quando vê que tô olhando na mesma hora me explica como se eu fosse um babaca: ganhei quando fiz dezoito. Se bem que não acredito em horóscopo, acho que isso é superstição, brincadeira boboca pra gente simplória, sem compromisso interior. Essa correntinha também ganhei. Da minha madrinha.

Além disso tem dois periquitos que são a cara dela cuspida e escarrada e como tá chato pra chuchu, digo com sarcasmo:

Os dois se chamam Ala? — e me dá até vontade de rir da minha própria alusão, da minha piada.

Claro que não! — diz, se aproxima da gaiola e dá pras duas carcaças esfomeadas um ou dois grãozinhos de ração. Não se dá nome de gente pra bichos, você não sabe que os animais não têm alma?

Justo sobre esse tema aí não tenho nada quase pra dizer.

Os seus velhos tão em casa? — pergunto pra ela, porque quero resolver logo tudo que é preciso, quero me acertar logo com essa bundinha fibrosa dela, quero logo estar com isso tudo terminado, quero ter ganho os pontos que me cabem e sair daqui afinal, enquanto ainda não tô dormindo e não perdi o concurso de miss.

Não, meus pais foram numa quermesse, e depois iam visitar meus tios — diz e ao mesmo tempo vai aguando com um regador portátil umas flores, uns cactos que ela tem na janela. Depois de repente como que se assusta: por que você tá perguntando isso?

Por nada. Respondo astutamente: nada nada. Tô perguntando porque não quero criar problema.

Ninguém quer — responde com preocupação. — Mas não se preocupe, sabe, eles são muito legais, apesar das aparências. Me deixam fazer tudo. São muito queridos, simplesmente maravilhosos, são meus amigos. Acho que você devia conhecer eles. Na certa iam ajudar você, aconselhar alguma coisa pros seus problemas e preocupações. Parecem maduros, sérios, mas às vezes tenho a impressão de que são um casal de adolescentes apaixonados. Andam de bicicleta de mão dada, fazem aeróbica juntos, saem juntos pra passear.

Eu enquanto isso, enquanto ela fala, fico imaginando como deve ser. Quer dizer, a velha dela. Em primeiro lugar, dorme de óculos, pra ver bem o que tá sonhando e não perder se por acaso não aparece na frente dela santo Amol da dor de cabeça. Evidente que não tem nem conversa sobre encostar no marido do cotovelo pra baixo por conta da integridade pessoal e da dignidade da mulher. Já sobre o marido evito qualquer pensamento, porque tenho por ele certa consideração. Deve ter custado muita frustração montar essa quinquilharia toda com duas filhas que não deram muito certo, repelido de todas as maneiras possíveis com almanaque pra professorinhas autodidatas ou uma outra revista qualquer de mulher. Sufocado, castrado, empurrado pra ponta do sofá.

E aí começo a pressentir a derrota. Porque nessa situação toda me invade uma impotência, uma pecinha da minha resistência interna me diz stop, sinal vermelho, não tocar na panela. Não toque, porque vai se queimar, não toque, porque vai se contaminar. Não use a mesma toalha, não sente no mesmo vaso no banheiro, antes de usar leia a bula. E enquanto ela tá sentada bem do meu lado, limpando os óculos com a ponta do pulôver de gola rulê depois de dar uma cuidadosa baforada nas duas lentes, fico pensando inteiramente sem forças por onde é que começo tudo isso. Tá sentada bem perto, a minha reação devia ser outra, e no entanto por parte do george tá tudo por baixo, apatia, o george não quer nem olhar praquele lado, finge dormir, e na verdade tá tremendo e farejando por onde escapar aqui do destino, por qual perna da calça. O destino dele aliás também tá sufocado, arrochado sem uma falha entre as coxas, estamos fechados, luz apagada.

Ela entretanto sem mais nem menos se anima, e sabe lá por que vem de papo justo sobre mim, quer saber que tipo de coisa, ao invés de me deixar satisfeito, me deixa decepcionado.

O que você acha da política? De toda essa guerra Polônia-Rússia? — pergunta de perto me olhando nos olhos. Percebo na hora que tem dentes amarelos e doentios. Não quero assim logo de cara ir entrando em conflitos armados sobre questões nacionais ou antinacionais, por isso matreiro pergunto o que ela pensa sobre o assunto. Diz o seguinte:

O papai que é muito equilibrado, aliás é graças a isso que nos tempos dos comunas a gente sempre arranjava frios, vários tipos de carne e de produtos de limpeza, o papai disse que nessa questão não se deve ter nenhuma opinião comprometedora em voz alta. E nisso ele tem razão. Porque agora todo mundo de uma hora pra outra ficou importante, espalha aos quatro ventos o que acha, mas depois não vão ser tão espertos. E ele tem razão nisso. Se alguém então perguntar pra você, Andrzej, quem você apóia, ouça o meu conselho, Andrzej, evite achar o que quer que seja ostensivamente. Porque numa dessas já era. Você tá sendo sério comigo? — pergunta de repente olhando pra minha boca.

Por que você tá perguntando isso? — digo um pouco assustado, porque quero que ela saia de mim afinal, quero ir embora, sem ponto nenhum, mas com o juízo perfeito, bater logo atrás da porta os restos das penas dela, dos cabelos, dar meu jeans pra Izabela limpar a sujeira com uma esponja molhada.

Ela nisso diz o seguinte: por que tô perguntando, por que tô perguntando. É claro que não é pra adular você. Só pensei que a gente podia ir daqui a uns dias no hospital regional visitar minha irmã. Ela deu à luz, já tá com o Mark há quase um ano desde as núpcias e o casamento, que foi muito agradável aliás, uma atmosfera muito agradável. Ela tá na enfermaria, porque o Patryczek provavelmente pegou uma icterícia. Ninguém sabe como, do nada. A mamãe suspeita que é culpa dos médicos, que são incompetentes, não têm boa vontade com os pacientes. Às vezes pessoas até morrem por causa disso, mortas pelos médicos, que justamente são os que mais tinham que ajudar elas, os pacientes, é um absurdo, um paradoxo. Além disso esse negócio de molhar a mão em escala universal, os médicos não têm um pingo de lealdade, um pingo de motivação no exercício da profissão. Se pode ler sobre isso na imprensa hoje em dia, nas revistas, se vê nos programas de televisão, em toda parte.

Fico calado e ajo de tal modo que o menos possível da minha superfície toque nela. Me sinto derrotado de ponta a ponta, dez pontos a menos e uma discreta gotinha de baba dela no meu rosto enquanto falava. A sandália ortopédica estampada na minha cara. O exército pesadamente armado recua em pânico pro fundo mais fundo da calça. Retirada total, debandada.

Aí então já vou ficando de pouca conversa, porque a virilha já recebeu o sinal de que não é aquele o endereço certo e nada de continuação da espécie. O george também já quer ir andando dessa festa, porque sabe que não vai ter concurso nem jogo de habilidade. Então pego e me afasto um pouco mais na direção das cortinas, pra ela por acaso não ficar imaginando demais que quero ficar amigo dela. Mas me esforço pra ela não ficar ofendida com essa minha emigração, e mesmo assim parece que fica. Aí na mesma hora me esforço pra dar uma retocada na situação toda, pra ela não se sentir especialmente melindrada e não acontecer de faltar assunto pra conversa e a gente ficar explicitamente em silêncio. Então pergunto se a irmã dela já ouviu falar de uma doença, pré-eclampsia. Diz que já ouviu sim, que é uma incômoda enfermidade das mulheres gestantes.

Então levanto do sofá-cama. Vou um pouco na direção da janela. Depois vou um pouco pro lado da porta. Porque tô no limite da minha tolerância, e aviso logo que se não me derem agora mesmo uma cerveja, ou pelo menos um bocadinho de speed, ou pelo menos então um cubo mágico pra me distrair, meus nervos vão primeiro começar a desfiar, depois vão de vez pro caralho e não respondo mais pelo que acontecer em seguida. Se ela pelo menos me ligasse o computador, um paciência spider, ou então se me desse uma calculadora pra eu poder contar os milhares e centenas de pontos que por causa da idiotice dela, por causa da escrotice geral do caráter dessa pessoa, eu tô pra trás. Porque o número provavelmente é infinito e vamos e venhamos, mas de memória não dá pra contar. Penso um instante como isso tudo seria se Deus tivesse um pingo de decência, de honestidade. Porque se fosse assim e não o contrário, se tivesse um tiquinho de boa vontade, se enfiasse pelo menos um tiquinho de lógica nesse roteiro, então agora eu teria a Magda, que desde o começo parecia comprada de presente pra mim. Mas não. Até no reino supostamente justo de Deus corrupção, confederação, chute em quem tá caído, porta-malas de golf cheio de speed escondido da polícia. Até ali falcatrua, favorecimento aberto do tráfico e da prostituição, da exportação de garotas polonesas pro Ocidente. Deus em pessoa posando de grande esquerdista, a todos com igualdade, nem mais, nem menos, o mesmo. E não é que me acerta uma bem no meio da pata, devolva a Magda, Andrzej, vá brincar com outra coisa, agora vamos dar a Magda ao Kacper. E depois ainda o Esquerdo, que ele brinque com alguma coisa normal, esse menino gasta muito tempo na frente do computador, isso faz mal à postura, dá escoliose. E você, Andrzejek, não se preocupe, eles a devolvem a você, não é verdade, meninos? Palavra de Deus, três dedos no coração. Você agora brinca com a Ala, ela está um pouco assim, como direi, desativada e fora de funcionamento, mas isso não significa que seja impossível se divertir com ela, querer é poder.

Fuck you, assim não brinco mais — resmungo entre os dentes e olho pro alto. Mas isso não é céu nenhum, é um teto com o reboco soltando, e isso não é uma boneca disposta a brincadeiras, é só uma apresentadora de televisão falecida precocemente, e que ainda por cima pôs óculos de armação dourada e folheia revistas passando saliva no dedo.

Se pelo menos ela me desse a calculadora que já mencionei antes. Pra eu ter alguma distração, somar, diminuir, primeiro todos os dígitos da esquerda pra direita, depois da direita pra esquerda, e no fim multiplicação. Eu calcularia tudo. Com relação à Magda. A altura. A idade. O comprimento do cabelo. A duração da suposta vida. O ângulo de inclinação do Kacper em relação a ela. A quantidade de speed no sangue. A porcentagem de satisfação. Na certa baixa. Na certa negativa. A velocidade em que o exército russo tá se aproximando da cidade. A quantidade de lingüiça vendida. Eu calcularia tudo se ela me desse uma calculadora.

Mas ela nada. Fica sentada, me espia um pouco e com a outra mão mexe em alguma coisa nos dentes. E nem passa pela cabeça dela que daqui a pouco pronto. Que tá na balança o destino dos trevinhos colados na janela, e do vidro nas portas do armário, que daqui a pouco eu ponho fogo em tudo, inclusive no cabelo dela, que aliás vou cortar e depois esmigalhar com meus próprios pés. E no fim digo o seguinte. Porque isso já não é bobagem: blablablá, o que você acha de mim, Andrzej, sou bonita, sou feia, ela é como eu. Porque eu por natureza sou bom, mas asilo Caritas ambulante também não sou, pra ficar aqui ouvindo conversinha de almanaque sobre anticoncepcional e nem tirar proveito nenhum disso, nem um prazerzinho, só melodrama e melorrecitação, e longas arengas sobre arte, poesia e defesa da vida gerada ao pôr-do-sol.

E você, você é assim, econômico? — diz como que pra acabar com os meus pensamentos, como quem chuta alguém caído, tome, tome pelo que você fez, não quis conversar sobre o tempo, não quis conversar sobre pré-eclampsia, agora a gente vai conversar sobre economizar, é, Andrzej, as brincadeiras acabaram, câmera start, bom dia senhoras e senhores nossas saudações, meu nome é Alicja Burczyk e agora vou mostrar a vocês todos os produtos a preços promocionais que podemos comprar para administrar nosso dia-a-dia doméstico de um modo mais econômico e funcional. Porque não é comprando o primeiro produto que aparece, atirando-o sem eira nem beira no carrinho, que mantemos uma casa modesta e segura. Fazer compras é questão de rigorosa reflexão, planejamento, estimativa de todos os prós e contras. Vejamos, esta carne tem uma aparência boa, mas façam a gentileza de conferir o preço, é terrivelmente alto, tanto mais que justo ao lado temos uma carne perfeitamente similar, produzida apenas alguns dias antes, mas ainda bastante boa, e custando só a metade. A primeira tarefa é que carne você escolhe, Andrzej, porque afinal você não vai dar uma de tão gastador a ponto de escolher a mais cara e, conseqüentemente, na certa menos saborosa. Não precisa responder, o importante é que você concorde. Agora vamos levar nosso carrinho para a próxima posição em nosso tabuleiro. Diante de nós uma prateleira com produtos têxteis. Sua tarefa, Andrzej, é escolher as meias mais apropriadas. Sim, estas são bastante duráveis, mas pelo preço delas você pode ter três pares dessas não tão duráveis, mas igualmente boas. Perfeito, esse movimento com a cabeça eu considero uma afirmativa e, portanto, resposta correta. Nesse caso vamos seguir adiante, a próxima posição apresenta uma prateleira com bebidas alcoólicas. A tarefa é: não compre nada com álcool, e muito menos cigarros. Se você comprar, perde automaticamente o prêmio. Se não comprar — passa para as próximas etapas, que são tão maravilhosas e repletas de emoção como esta. E sabemos que você, como um homem sério e ajuizado, tem uma clara inclinação pela escolha de todos nós, quando todos nos erguemos a um só sinal e todos juntos bradamos: abaixo o álcool, fora com as fábricas de tabaco, pela proibição da venda de bebida com mais de cinco por cento de teor alcoólico, Andrzej, você não pára quieto, com certeza mal pode esperar pelo próximo tabuleiro, que apresenta um quiosque de frutas. No cesto A, frutas caras trazidas do remoto Ocidente, cobertas de uma espessa camada de venenosos pesticidas — germes espalhados pelos negros que tocaram nelas. E agora vejamos o cesto B, frutas russas, um pouco mais baratas que as nossas, mas são imitações adulteradas, na certa vazias por dentro. No cesto C, entretanto, verdadeiras frutas polonesas a preço módico, mesmo uma maçã polonesa amassada é mais gostosa do que uma maçã do corrompido Ocidente, é claro, Andrzej é sensato e escolhe o cesto C, e esta é uma excelente, corretíssima resposta, que assegura a nós todos uma ótima diversão nas próximas etapas do teletorneio!

Posso ir fazer xixi? — pergunto bastante invocado e me arranco pro banheiro. Abro bem a torneira e na esperança de que não dê pra ouvir nada reviro todos os armários. O nível de narcóticos na casa é o seguinte. Um nervosol. E uma caixinha de panadol. Na pressa me aplico as duas drogas superpesadas, porque de repente comecei a ficar com medo. Que talvez eu tenha pirado ou qualquer coisa assim, speed em excesso nos últimos dias, curto-circuito na lata, bagunça nos cabos. Isso isso, Andrzej, agora panadol, nervosol, e depois a estação central, ouço de repente e olho em volta, mas era só um eco ressoando na minha cabeça. Impotência, interesse zero pela mulher sentada do seu lado, quem sabe até homossexualismo, e assim que penso isso na mesma hora olho no espelho pra ver se tem em mim algum sinal físico de veadice, mas não consigo achar nada, nenhuma pista.

Sem demora, pra não despertar suspeitas, tô de volta e sento no meu lugar. O jogo continua. Bem-vindos depois da pausa. Esta etapa consiste, Andrzej, na compra do calçado mais adequado para você. E aqui oferecemos à sua escolha estes fantásticos e funcionais sapatos da CCC, firma que tem filiais em todo o território do país. São sapatos para qualquer clima, porque todos são igualmente práticos, igualmente fáceis de usar, você simplesmente calça e anda, para o trabalho e para casa, com saia e com calça. Com calça — respondo rápido pra garantir o mais depressa possível a resposta correta e não ser acusado publicamente de veadice e outras trans.

É isso aí! Está cada vez mais quente, é cada vez mais emoção, porque está se vendo, Andrzej, que você é como devia ser, econômico, prático, e agora a próxima etapa do nosso programa. As perguntas aqui são controversas, talvez até constrangedoras, você responde sim ou não encontrando de supetão em nosso tabuleiro a clássica família de seis pessoas, como você se comporta agora, você empurra para o lado o seu carrinho egoísta, hedonista e narcisista e cede passagem aos verdadeiros valores, ou você vai empurrá-lo contra a corrente, atropelando e derrubando os filhos de Deus, passando por cima dos seus pequeninos, indefesos pezinhos, fazendo cair de suas mãozinhas os pirulitos baratos, consoladoramente doces, em forma de coração? Você vai passar por cima dos pés desse homem que trabalha tão pesado para manter vivos os frutos da terra? Você vai dar lugar no ônibus pra mulher com uma criança no colo? E mesmo que você não responda, está escrito no seu rosto que você é um homem decente e que no futuro você gostaria de ter muitos filhos.

E agora passamos para outra categoria, para a qual talvez você esteja mais bem preparado, porque talvez seja justamente esse o seu hobby, o seu interesse, vamos supor isso, não mais que isso, se você é tímido por natureza, concentre-se bem agora, a pergunta é simples, só para esquentar, afinal todos aqui, tanto eu como o público no estúdio, estamos com você e torcemos para que você seja o ganhador neste programa, então vamos fazer uma outra pergunta. Dessa vez o tema é psicologia, porque você se interessa muito por isso, as correlações inter-humanas, como podemos mudar a nós mesmos, agir sobre nós mesmos para combater nossas fraquezas, para curar nossas vidas dos medos e imperfeições e nos tornarmos conscientes do senso de nosso próprio valor. Porque vejo em você como está tenso, pouco à vontade, talvez por isso não esteja conseguindo responder a perguntas de fato tão elementares, talvez esteja constrangido comigo e não pode ser assim se vamos nos tornar amigos de verdade, nesse caso deveríamos ficar à vontade um com o outro, deveríamos ser sinceros, espontâneos, nada a esconder um do outro, nem nossas maiores fraquezas. Porque agora vou dizer a você e a todas as pessoas físicas assistindo a nosso programa: amigo é aquele diante de quem sempre podemos ser nós mesmos, sem reprimir nossas emoções, e você, você também tem um amigo? Escreva pra gente, esperamos pela sua resposta em cartão-postal até o fim da semana, você concorre a prêmios, uma assinatura da minha revista predileta. Mas voltando ao jogo: talvez agora uma outra pergunta, formulada de outra maneira, a formulação da pergunta anterior talvez tenha sido muito complicada para você, mas por que você está tão calado, é por causa da minha presença, sou eu que constranjo você, se quiser eu saio, e os telespectadores fecham os olhos por um momento para você poder se preparar à vontade para os temas propostos, você define o que pensa sobre eles, pode fazer anotações, o esboço do que vai dizer, e mais tarde conversamos, enquanto isso fazemos uma pausa na gravação, nosso público aqui no estúdio se levanta e todos nós de uma só vez erguemos as mãos para o alto, tomamos fôlego profundamente e enroscamos as lâmpadas, e eu agora me levanto da poltrona, assim, tiro meus lindos óculos, que foram relativamente caros, mesmo levando em consideração que isso foi ainda na escola primária, mas essa foi uma compra quase atemporal, deixo de lado minha revista predileta, que aliás patrocina nosso programa, e vou dizer a você, **Andrzej**, muito sinceramente, que eu sou o prêmio neste programa, se você der a resposta correta a todas as perguntas, se me der razão, se tiver os mesmos interesses, você pode me beijar, na boca, mas bem delicado, porque tenho uma boca muito sensível, que logo estoura, sai junto com a pele, que vou arrancando aos pedaços, vou arrancando com o rosto todo e todas as entranhas, mas não é nada, em suma não há com que se preocupar, porque logo me recomponho ainda melhor, com cabelos ainda mais longos, e a cruz que tenho no pescoço, ó, está vendo, se recompõe ainda maior, como também minhas sandálias ortopédicas, pés e mãos. Voltamos porém ao nosso programa, nossas saudações a todos os espectadores diante da televisão e ao público aqui no estúdio.

Essa rodada nós vamos começar com uma tarefa-chave, graças à qual nem tudo está perdido ainda — você pode até chegar à final, relaxe, porque esta é a última pergunta e agora está na balança a sua sorte, ou você ganha o prêmio principal, ou então não temos mais o que conversar, e aí fim — o público diante da televisão vai virar os polegares de ambas as mãos para baixo e, a um sinal que aparecerá no canto da tela, vai cuspir na televisão, e isso afinal nós não queremos, portanto respire fundo, cuspa o chiclete, a pergunta é: o que você estuda?

O que você estuda, Andrzej? — diz a Ala pondo de volta os mágicos óculos dourados, vade-retro hocus pocus e eu estudo economia, gosto de um bom livro e de um bom filme, não escuto nenhum tipo de música, vou conhecer um garoto culto sem vícios na idade de vinte e cinco a trinta anos visando a uma relação séria e culta.

Fico calado. Calado. Ela olha pra mim sondando, será que você não sabe a resposta? Concentre-se, com certeza você sabe, com certeza você estuda alguma coisa, de outro modo não estaria

aqui, afinal todos estudamos alguma coisa e não ficamos cons-
trangidos com isso, pelo contrário, reconhecemos isso francamente, pense bem, com certeza você se lembra.

Está bem, se não consegue se lembrar, primeira dica, escute
com atenção: é uma área de estudos... ligada à administração...
gerenciamento...

Administração e gerenciamento! — digo imediatamente e aperto a respectiva tecla no sofá-cama pra merda da resposta não
sumir da tela antes que eu consiga escolher. E olho inseguro pra
Ala, pra saber se é a resposta correta.

Ela me olha meio que sondando se com certeza é essa a
resposta, com certeza você quer marcar essa, está certo disso,
com certeza você quer marcar essa?

Então já totalmente sem fôlego eu repito, administração e
gerenciamento.

Oh puxa vida! — diz ela, porque provavelmente era a resposta correta. Eu ia estudar a mesma coisa, meus pais escolheram esse curso pra mim já na escola primária, mas não passei
por falta de vagas, se bem que a mamãe diz que falta de vagas
uma ova, que não passei por causa da corrupção, do nepotismo,
da incompetência das elites governantes e da má situação no
país, e além disso a mamãe diz que economia também é bom,
até melhor, é mais vantajoso, tem maiores perspectivas, e aliás
não quero assustar você, não quero dar preocupação, mas administração e gerenciamento é um ramo totalmente condenado à
decadência, depois de formado você não consegue emprego em
nenhuma empresa que se preze. Sempre repito o mesmo aliás
pra uma amiga de coração, a Beata, que passou daquela vez e

pensa que agora de repente o mundo está aos pés dela, a Polônia inteira inclusive com a Rússia.

Tô voltando lá pra festa — digo, sem suportar a oposição. Porque já é o fim desse programa, e se ganhei ou perdi, o que quer que tenha acontecido, abro mão do prêmio principal em favor dos órfãos, em favor da Associação Polonesa dos Administradores Poloneses, em favor do meu maior chegado, o Kacper, ele que fique com o prêmio, ele tem todo o direito, ele talvez tenha vontade. E pro caralho que na minha contagem, na minha pontuação, tô centenas de milhões de pontos pra trás, que eu precisaria agora pegar a Magda mil vezes de volta e traçar mais algumas vezes ainda a Angela, virgem, pra sair sem desvantagem nesses pontos e não ficar de cara no chão.

Oquei — diz a Ala e fico contente que até que enfim é game over, a transmissão está se encerrando e o programa *Cozinhe com a gente* também, nosso assado de cisne está pronto para o consumo assim que retiradas as decorações têxteis, por enquanto no pulôver de gola rulê ele não parece muito apetitoso, mas tem um sabor excelente, apesar de ser um tantinho fibroso. Pode-se servir em banquetes e churrascos em família ou em recepções formais oficiais.

Pena que você já tem que ir, foi legal conversar com você, você é um amigo bacana. Espere ainda um momentinho, queria mostrar pra você as fotos do casamento da minha irmã, foi uma festa muito agradável, comida simples, mas muito gostosa, uma atmosfera muito agradável, familiar. Sente aqui e não mexa em nada — diz o assado de cisne e alisa a gola rulê, ajeita a posição da cruz dourada sobre o peito. E vai. E eu enquanto isso, nesse instante a sós comigo, olho no olho com os vasos de

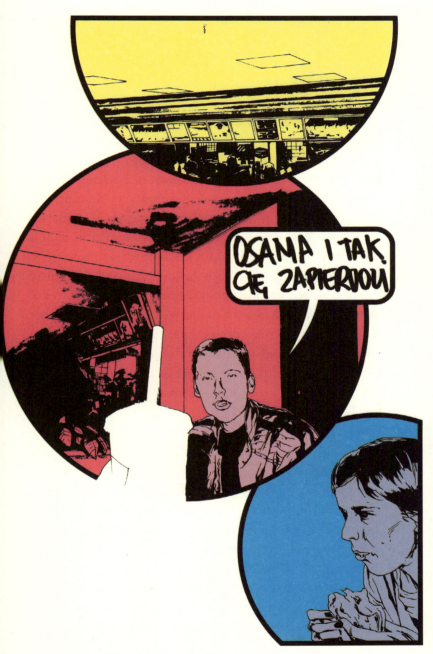

"O Osama vai foder com você de qualquer jeito."

flores e os periquitos-australianos no quarto dela, não desperdiço a chance. Se bem que depois da aplicação daqueles produtos especiais já referidos acima me sinto assim tranqüilo, ponderado. Porque isso não mencionei ainda, mas tô cagando pra esse sistema, e com esse sistema não vou colaborar não, nada de entrevistas pra imprensa, nada de participação em talkshow sobre poesia, disso eu tô certo. E faço o seguinte. Primeiro ponho a flor no tapete, tiro o george e na maior ostentação mijo dentro do vaso, mesmo que no nervosismo por poder ser descoberto o jato saia irregular e com a mira nem sempre ideal, o que faz com que uma parte acabe no tapete. Não sai tudo, aí com o resto que sobrou boto a gaiola dos periquitos no chão e parto pra reação com mijo neles, no bebedourozinho deles. Nesse meio-tempo eles abrem aqueles bicos tortos no maior berreiro, se batendo pra fugir de dentro da gaiola, fico até com medo de que a mulher-cisne venha correndo pra cá atraída pelo vozerio dos torturados. Calminha, seus putos — digo pra eles — um tiquinho de mijo de um homem normal vai fazer mais bem a vocês que um hectolitro de água psiquicamente doente da madre superiora.

Mas mesmo assim feito uns anormais eles continuam o berreiro e logo começam desesperados a tentar sair voando pra países quentes em busca de ajuda, em busca de alimento, porque aquela doida criou os bichos de tal maneira que na companhia de um homem comum não são capazes de se comportar direito, são abusados e atrevidos contra pessoas decentes e mentalmente normais, tão visivelmente inclinados a me fazer algo de mau. Aí pego e fico só olhando pra eles, como são patetas, iguaizinhos à cachorra da Ala mãe deles, na certa estudaram economia, ou então: esse da esquerda estudou pra banqueiro e gerente, e esse da direita finanças e finanças. Sua mãe é fodida da cabeça — digo baixinho pra eles como que em segredo e sem fazer barulho cuspo na cabeça de um.

Oquei. Aí já relaxadão meto ainda no bolso umas coisas que tão ali por cima, uma caneta dessas de artesanato dos Tatra em forma de machadinha, um anel dourado com uma pedrinha e uma cola escolar em bastão, porque sempre pode servir pra alguma coisa. São prêmios de consolação no programa, bancados pela apresentadora pra eu não acabar no fim de tudo no prejuízo, porque parece que a cada minuto meus pontos vão diminuindo por si mesmos, que vão atingindo um valor cada vez menor, mas pra todos os efeitos algum lucro dessa brincadeira eu tirei. Então ponho tudo como estava e num sussurro, conspiração total, abro a porta, que solta na mesma hora um longo, estridente gemido.

Você vai ir a algum lugar? — chama a Ala do abismo, de algum quarto distante e inexistente, do clube do livro, onde nas prateleiras em ordem alfabética estão os álbuns, as fotografias, a literatura, a prosa, o retrato da Ala de roupa folclórica de Kaszuby e o certificado de conclusão da escola primária, com as notas e a fitinha vermelha pelo trabalho exemplar como tesoureira da turma.

Aí quando escuto que ela tá nalgum lugar longe e não vai conseguir correr até aqui antes de eu ir embora, desço na corrida as escadas, pego meu tênis na mão e saio correndo da casa, batendo o portão. Já tô esbaforido mas vou me afastando, porque quando der pela minha falta e pelas ocorrências ocorridas no ecossistema pessoal dela quanto à questão da flora e da fauna a coisa vai ficar feia, talvez comece a me perseguir ou então pior, talvez queira me mostrar aquelas fotos.

O primeiro ônibus que passa eu pego, mas preciso observar que me sinto fraco, como que sonolento, como se pudesse ir pra sempre nesse ônibus, e ninguém poderia me acusar de não ter pago a passagem, porque ninguém poderia me tirar daqui, de tanto que tô pesado esse troço todo pode desabar a qualquer momento. A gente vai devagar, também muito provavelmente por causa do meu peso, o peso das minhas mãos que tão pesadas de um jeito que nem consigo levantar, ficam só penduradas. Fico com medo de que daqui a pouco caiam no chão junto com o resto do corpo, e já ninguém mais vai tirar elas daqui, ninguém dá conta. A gente vai cada vez mais devagar, e a cidade também se move devagar, como uma onda no mar avança e recua, guiada por controle remoto por vereadores entediados, bêbados feito porcos. Nuvens se juntam sobre a cidade feito sinistras sobrancelhas contraídas. Deus tá enfezado, Deus tá fazendo faxina. Pra uma Ala da vida, se estivesse aqui, não teria susto nenhum, isso preciso admitir. Mesmo se tudo estivesse desabando e queimando, ela mostraria a carteirinha de estudante e a cruz debaixo do casaco e a multidão em pânico pisoteando a si mesma abriria caminho na frente dela, ó, estudante de economia, culta, ao que tudo indica católica, é verdade que com um garoto meio sonolento, na certa um filho deficiente, mas nesse caso é ainda mais necessário ajudar ela a levantar ele da cadeira, a descolar ele do forro do assento. Se afastem, deixem passar, devem estar resolvendo assuntos importantes, tão indo pegar emprestado o mais novo livro de Bolesław Leśmian, tão indo pegar a cota de batata, o incêndio pode esperar, o incêndio não vai fugir, se afastem e deixem passar.

É justo o que tô pensando, que caralho que não trouxe ela comigo. Porque agora ela ia me levar de algum jeito ou pelo menos ia arrumar as minhas mãos em ordem alfabética, e agora nesse estado vou até o Ural e ninguém vai me acordar nem quando já forem as festas de Natal, minha mãe desesperada porque me comprou um presente e de repente constata que Andrzejek niet, não tá, se bem que ainda alguns meses atrás ligou pra casa e tava. E agora de repente não tá, há vários meses tá indo num ônibus desconfortável da PKS pro fim do mundo, com bolsa de estudos. Penso que só ela ainda vai se lembrar de mim nessa situação, vai me mandar a escova de dentes, algumas meias de reserva, geléia, agulha e linha e votos de muito bom humor. E quando penso isso, penso que caralho que é a minha vida, que perdi tanto, e mais ainda, diabos me levaram de lembrança e já não tenho mais certeza se talvez morri ou talvez ainda não, porque o ônibus decididamente tá andando, mas como que através de uma névoa, uma fumaça que se espalha dentro dele. E as minhas pálpebras são de fechamento automático, onde quer que eu olhe, elas logo vão descendo, mas sempre consigo perceber que em toda parte tá cheio de fumaça, e os passageiros como que perderam seus contornos, se derretem por todo o ônibus, porque o dia tá bem quente. Como também percebo que as vozes deles me chegam como que de trás de um algodão, de uma parede, de países quentes, do outro lado.

E nisso, quando tô pensando cada vez mais devagar, em letras cada vez maiores, com uma caligrafia cada vez menos firme, de repente ouço o seguinte. Você ouviu?

Ouço essa pergunta. É bem nítida, se repete algumas vezes no pano de fundo do motor a combustão, faz soprar um vento bem ruidoso, um verdadeiro ciclone. Não — planejo responder, mas a questão se mostra uma das mais difíceis na prova, porque nem a pau, nem prum lado nem pro outro consigo mexer minha boca, tá como que cheia de concreto, hermeticamente lacrada com cola de farinha ou gesso, os dentes grudados uns nos outros e carimbados, confidencial, proibido abrir. Por outro lado, uma coisa que ainda percebo é que não tenho mais língua dentro da boca, deve ter me caído nalguma curva, rolado pra debaixo do assento. Por outro lado, ali nas coordenadas do lugar da língua tem na minha boca agora um produto parecido com carne, uma cobra de borracha que, caralho, não consigo controlar

Você ouviu? — alguém me diz isso continuamente, o eco se espalha, e ainda por cima alguma coisa me sacode desse lado, um vento extra auxiliar no braço esquerdo.

E depois de muitos esforços consigo apertar o botão certo, e digo de acordo com a verdade algo que soa mais ou menos como "não", mas como se tivesse a boca cheia de batatas, de uns tubérculos não-identificados. Me dá logo medo de que talvez por causa da minha falação, da minha franqueza, eu tenha passado pra etapa seguinte, não devia ter falado nada, aí talvez desligassem essa câmera.

Dito e feito. Quando digo esse "não", o carrossel inteiro gira de novo, o vento me sacode pelo braço, o motor ronca, e agora em seguida a pergunta seguinte é "você não ouviu?" Você não ouviu e não ouviu, se não entendeu a pergunta, vamos repetir pra você mais uma vez, e mais uma vez, até responder, até responder, então pode morrer, mas o público quer saber, você ouviu, não ouviu, o público quer saber a verdade. E cheio de confiança nas minhas capacidades de articulação tento mais uma vez sublinhar que não, mas aí já não me sai muito bem, sai diferente, menos compreensível, talvez até acabe dizendo alguma coisa intermediária ali por volta do "sim", eu mesmo já não sei, só escuto um zumbido, e a fumaça tá cada vez mais densa, cada vez menos transparente, e vejo isso um instante antes de meus olhos fecharem por completo.

Depois tem um longo intervalo, pior do que aquele até o café-da-manhã, se precisasse representar graficamente teria que pintar uma folha toda de preto com no máximo umas reticências em branco. Porque só acordo ao constatar que decididamente tô andando, se bem que talvez esteja mesmo é rolando feito um punhado de pedras embrulhadas num trapo e bem ou mal se mantendo juntas, mas podendo a qualquer momento se esparramar. De um jeito ou de outro, parece que tô em movimento. Mas também pode ser que a rua esteja se deslocando em relação a mim, passando bem na minha frente feito uma porra de uma faixa branca e vermelha entremeada de bandeiras que nem uma torta de aniversário, um bolo feito pra mim pela mamãe Izabela por ocasião do meu retorno da imensurável escuridão, onde eu tava ao que tudo indica numa reconvalescença, numa ressocialização. Porque só assim é que consigo explicar. Trago várias lembrancinhas turísticas, várias paisagens, onde se vê justamente a escuridão flagrada tanto de dia como de noite, de perfil e de vista aérea, e que parece sempre igual e é categoricamente preta. Também tenho algumas fotos feitas na minha própria máquina, eu com a escuridão ao fundo, onde não apareço, mas provavelmente eu tava lá. Trago pra você também, Izabela, um pouco de escuridão num vidrinho, uma especialidade da região, um pouco usada, porque a comida era ruim, como que sem calorias, com falta de nutrientes.

Nisso ressoa um arroto e noto então que a força que me impulsiona é o Esquerdo, me segurando amistosamente pelo braço e pela cintura. A gente tá se movendo, e a rua tá parada no lugar, com as pequenas exceções dos passantes — isso eu também observo. Mas de onde vim parar aqui, essas minhas lembranças pra ser honesto só vão se cristalizando bastante devagar, com certeza porém isso foi uma das etapas do teletorneio, depois da morte você gostaria de ir pro céu ou pro inferno, na certa escolhi por descuido o botão errado e com isso a resposta incorreta, mas agora já tô de volta com todo mundo no estúdio, tudo no lugar, não tão queimado assim, podendo até dar uma caminhada. Se bem que por um instante fico com medo de que a pergunta tenha sido sobre homossexuais e daí essa situação constrangedora com o braço e a mão dele na minha cintura.

Que que você tá grudado assim em mim? — fico indignado, constatando univocamente que posso falar tranqüilo, apesar de por exemplo não ter saliva na boca, drenagem total da cavidade oral, escoamento dos pântanos, e de sentir por isso uns rangidos nas dobradiças.

E aí completamente sem querer provoco uma tempestade da parte desse apesar de tudo meu amigo, o Esquerdo. Que aí de repente me põe consciente de tudo num tom meio vulgar e insensível, não sei do que você se chapou, mas foi porrada. A viagem foi porrada, desespero e suicídio, puro haloperidol, o ônibus tava indo pro outro mundo. E diz ainda que sorte ele estar indo praquelas bandas como meu colega e amigo, porque o trampo comigo foi porrada, fim de linha, detox ou até morte completa, que eu tava num estado que três passageiros homens e uma passageira mulher precisaram ajudar ele a me tirar do ônibus quando chegou no ponto, maior sujeira na cidade toda, e ainda por cima enchi a porra do celular dele da saliva que eu ia derramando pra todo lado, parecia até que eu respirava saliva. E no fim ainda destaca como exemplo que investiu em meu favor uma porção inteirinha de speed na minha gengiva pra eu andar de novo feito gente, e ainda venho pra cima dele com essas historinhas de veadagem, quando ele de livre e espontânea vontade ia preferir pegar um gato na mão, não eu, porque tô longe de ser o tipo dele. E parece ainda que quando me aplicou o speed emporcalhei de saliva a manga do casaco dele até a altura do cotovelo, e até me mostra as manchas úmidas, mas tenho a impressão de que o que ele fez antes foi dar uma lavada numa roupa, e agora vem rodando pra cima de mim esse filme doente aí.

Nisso bem que queria responder alguma coisa, que ele fosse se foder, porque mandar nervosol com panadol pros nervos em farrapos ainda não é nenhum pecado que eu tenha que confessar no Juízo Final na frente do tio Esquerdo, que inocente nessa questão também não é, porque gosta de uma porra de um tóxico e bem mais forte. Só que não consigo dizer nada, porque ele fica buzinando o tempo todo uns lances que não entendo direito. Que qual é, que se soubessem que eu ia reagir assim com a notícia eles não diziam nada, bico calado, assunto encerrado.

Mas que notícia é essa? — pergunto pra ele surpreendido.

E você não ouviu? — pergunta então pra mim feito se eu fosse imbecil — você não ouviu que a Magda não ganhou o concurso de miss?

Então começo a matutar que rolou na cidade um vade-retro daqueles durante a minha ausência espiritual, e quem nem tudo nessa mistureba tá perfeitamente claro e lógico pra mim. O cara fica um pouquinho só chapado, some uma porra dum instantinho, deixa o negócio entregue a si mesmo e no mesmo minuto sif, epidemia de bordel dos grandes.

Como não ganhou? — digo — como não ganhou se era pra ganhar?

Era, era, mas era ainda não significa nada. O safado do presidente deu o cano. Tinha dívidas com um tal de Sztorm, que parece que é um figurão aí, tá metido no negócio de areia e é dono da revista *A Areia Polonesa*. E quem ganhou foi a Natasza, que chegou com o Sztorm no carro dele, e tava também com eles uma pirada de uma metaleira que ganhou o título de "Miss Público", mesmo que assim no duro nenhum sujeito normal ia conseguir pegar ela de cara limpa.

Fico calado, porque quando peguei a Angela tava cheio de speed e a equação nesse caso confere, mas isso também não significa que tô com vontade de discutir o assunto agora. Porque não tô, sublinho que agora tô me sentindo categoricamente mal, o nervosol em particular tá meio que dando arroto.

Então a gente vai como que pro anfiteatro, tipo naquela direção, mas pra um outro lugar. Porque o Esquerdo não tá nem um pouco mesmo pra paz. Suspeito inclusive que ele separou um tanto, que pegou um pouco emprestado daquele speed que me reanimou da apatia e impotência de ampla escala em que eu tava. E por isso aliás honra e glória a ele, que me salvou mesmo da ruína, mas deve ter se aplicado uma boa dose, porque o olho dele tá piscando de um jeito que parece até que piscar o olho é uma neurose, uma obsessão dele, ou então como se por exemplo estivesse participando de um concurso de piscar o olho, quem pisca mais depressa ganha. Piscar o olho é a profissão que aprendeu, piscar o olho é a ocupação favorita nas horas de folga, dependência crescente de piscar o olho.

O cara tá que é só nervos. Pelo que tudo indica poria pra foder com o primeiro que aparecesse, até comigo. Mesmo sendo meu colega e amigo em primeiro lugar, em segundo, mesmo tendo ficado com a minha namorada, e na certa não uma vez nem duas, e em terceiro lugar mesmo tendo perdido por causa do meu falecimento uma porção inteira de speed, mas então agora não vale a pena me matar, porque conseguir de volta a mercadoria ele não consegue, puro desperdício, lucro zero depois de um sério investimento. Mas mesmo assim tento não ir muito perto dele.

Tô na maior secura, caralho — digo pra ele, minha voz se propagando entre montes de saliva em estado sólido. Se eu não fosse tão educado e cuspisse feito um animal, mas não faço isso não. Porque tenho medo de que voe na calçada nem mais nem menos do que minha saliva em pedras, ou pior ainda em fatias, talvez até rolos. Fico pensando se isso não é culpa de alguma mercadoria adulterada do Wargas. Porque o sujeito sempre guarda os saquinhos dentro do sapato, junto com sabe-se lá que outras tralhas, e um envenenamento não é nada difícil nos dias de hoje. Agora mesmo posso morrer aqui no pior dos suplícios, porque toda a água que tinha em mim cuspi no casaco do Esquerdo e não sobrou nem uma gota mais, o sangue em pó vai deslizando à direita e à esquerda de uma veia pra outra.

Então bebe alguma coisa, caralho, e não fique falando — me diz o Esquerdo esse ótimo conselho, essa máxima, esse provérbio pra vida toda, pra bordar no tapete. Da poça não vou beber, né? — respondo pra ele carrancudo, porque no clima pra piadas, charadas verbais e enigmas também não tô. Então ele fica com uma certa pena, porque afinal foi ele que bancou a mercadoria, é ele agora o master of ceremony, é ele agora quem conta as piadas, então a gente vai pro McDonald's. A gente entra feito um time de duas pessoas da Madre Anfetamina. Uma coca grande — digo num estilo bem rude pra caixa, que desconfiada até se inclina debaixo do superboné da firma, depois igualmente desconfiada da nossa pinta parece querer colar o caixa com durex. E também desconfiada vira lá pra dentro. O Esquerdo tá tão ligado que começa a buzinar um monte de coisa pra cima da caixa, se bem que no geral ela não tem a menor chance de ouvir isso tudo lá por trás do balcão da firma, especialmente considerando que os ouvidos dela, também da firma, tão apertados e tapados com o boné da firma.

Qual é, caralho, ponha aí essa coca e chega dessa masturbação expressa por baixo do avental que o Forte tá com sede, caralho, ou então entro aí pra ajudar e isso você não vai querer. E quando ele diz isso tomo consciência de que tá falando a verdade e tem muita razão pra ser tão rude e grosso com a caixa. Porque a verdade é que numa coca dessas tão incluídos no mínimo uns vinte centavos pelo trabalho e a gentileza no atendimento, então não pode ter essa de vir de dengo, de fazer caras e bocas e frescuras feministas pondo uma coca em meia hora, um grama por minuto, bem na hora em que tô com sede. Então também me emputeço junto com o Esquerdo e a gente fica os dois dizendo atrás do balcão vazio: cadê, sua puta babilônica, chega de chupar rola pra Babilônia, cadê essa coca, a gente vai soltar os capitalistas naqueles seus filhos vira-latas, eles vão papar primeiro as mãozinhas, depois as perninhas, depois as piroquinhas, e no fim vão papar você e aí já não vai ser tão fácil ficar de marra, você vai ficar de cu doce lá nas nuvens, fazendo milagre, curando os fiéis da diarréia.

Pereba escrota! — uiva o Esquerdo de um jeito que tudo treme, o vento venta, e no palhaço de papelão aparecem rugas, rachaduras.

E quando ela enfim tá de volta trazendo obediente a coca na mão, quando meio assustada me entrega o copo e com as mãos tremendo diz quatro zlotis e quarenta centavos dá alguma merda lá no Esquerdo e ele diz de repente pra ela: eh. E quando ela levanta a cabeça com medo ele acrescenta: o Osama vai foder com você de qualquer jeito.

Então escuto o que ele diz e penso, esse é meu camarada, alegre, com senso de humor, e nada dessa de Bruxelas meter na nossa bunda. Aí pego a deixa e digo: o Osama vai foder com você por ficar pagando boquete nos europutinhos.

Tanto eu como o Esquerdo estamos mortalmente sérios, o olho do Esquerdo até parou de piscar, porque também se estivesse pulando como de costume a situação toda podia ser tomada por uma brincadeira boba, mas pelo contrário.

Por isso por parte da caixa consternação geral. Caluda. A mão tremendo no walkie-talkie da firma. Passe isso pra cá — diz o Esquerdo num tom mais pro vulgar, apontando o receptor com a cabeça — sempre quis ganhar uma merda dessas de primeira comunhão.

E quando diz isso solta vento pela boca, desarrumando a caixa toda, descabelando ela, dasabotoando o avental. Ela hesita um pouco, como se fosse no mínimo cair no choro, e é até possível que cair amargamente no choro: eu não, eu não, é meu, eu ganhei do chefe. Mas não é o que acontece, com uma certa frustração ela desprende o receptor do cinto e passa pro Esquerdo assim como no mandamento, com uma cara igualzinha à de um animal abatido.

Só que não acaba nisso não, porque pelo visto o Esquerdo tá integralmente ligado, se engajou totalmente e agora decidiu varrer todas as impressões digitais da putona euroamericana das terras polonesas. E agora direto lá pra dentro — diz pra caixa bastante nervosa — e veja se descola uma máquina dessas pro Forte. E que esteja funcionando, se trouxer uma escangalhada você tá morta.

A caixa olha pra ele, depois pra mim, tá com uma espinha. Olha que nem se tivesse apanhado nas mãos, de vara ainda por cima, e agora não tá conseguindo ainda se recompor do choque. Aí vai lá pra dentro e demora um tempão pra aparecer, e volta ainda mais pálida trazendo o walkie-talkie, joga no balcão e na pressa recua na direção da máquina de café.

Aí pego o que é nosso, e a coca também, e já que ela tá tão chocada nem me esquento pra pagar nada, full grátis, a Babilônia tá bancando, grande promoção por ocasião dos USA. E antes da gente sair o Esquerdo dá uma cuspida na cara do palhaço, dizendo pra ele: vai foder com você também. O Osama em pessoa. E ainda pra infeliz da caixa: e você, caralho, faça mais sexo. E tire esse avental. Você fica horrível, parece doente.

Aí a gente sai. Colegas. A Confraria Armada de São George invade o mundo. Atenção, atenção, são perigosos, tão armados. Armados de canivete, armados de transmissores de ondas curtas. Armados de anfetamina, armados de adrenalina. Pisam na grama, arrancam as flores. Deixam marcas na calçada, abrem subterrâneos no mundo.

Legal, né? — diz o Esquerdo pra mim enquanto a gente vai andando, e me mostra como aperta os botões no walkie-talkie dele. Foderoso — respondo. Então ele diz pra eu ir lá pra perto da rua, enquanto ele fica aqui, pra gente poder se falar. É o que faço, porque acho a idéia ótima.

A gente descobre então que os walkie-talkies não são fajutos não, só de mentirinha, loja de brinquedos Bartosz, estojo polícia mirim, são walkie-talkies profissionais, que nem nos filmes nos departamentos de narcótico.

Alô. Alô. Aqui é a base. Câmbio — diz o Esquerdo com a voz séria e concentrada, e tenho a voz dele estéreo, porque em primeiro lugar escuto o que ele diz normalmente e em segundo escuto também no receptor. Acho muito maneiro isso, é um aparelho muito legal esse ondas curtas, mais divertido até que celular, e mesmo não tendo joguinhos é um aparelho bem legal, útil em todo tipo de situação pra conhecer pessoas novas, pra pedir um speed na cama.

Senha, senha, câmbio — digo, dando um gole com muito gosto na minha coca grátis e olhando se o inimigo não se aproxima.

Os pássaros voam em vê — diz o Esquerdo. É a senha que ele dá. Aí eu digo pra ele só de sacanagem: boot error. Senha incorreta.

E fico parado e acho graça da minha própria piada, a coca tá boa, gelada, grátis na promoção.

Então, o que eu não tava de jeito nenhum esperando, o Esquerdo desliga o receptor. Berra sem mais nem menos o seguinte: o que você disse?! — mas em tom de briga.

Então desligo também e digo ofendido paca: que você deu uma senha incorreta, caralho!

Ele nisso: que incorreta o caralho, como incorreta, não tá gostando do quê? Na escola primária me diziam isso, minha cachola ainda não tá tão empenada pra eu ter esquecido.

Depois disso joga o walkie-talkie dele na grama.

Senha incorreta porque tá incorreta, caralho! — digo pra ele já sem o menor equilíbrio por causa do ataque de adrenalina. Que porra é essa de voam em vê, tá maluco? E num acesso de raiva arranco a anteninha do meu walkie-talkie e taco ela na grama.

Então qual é, caralho, a sua senha, desembuche aí, qual é o caralho escroto da senha se não é essa?! — se esgoela o Esquerdo, full sério, a cara vermelha.

Outra, caralho! — grito também, porque de repente a minha fraqueza passa e me sinto na mesma hora emputecido até o último grau com essa história de walkie-talkie. Os princípios são simples: ou o cara sabe brincar, ou não sabe, ou o cara conhece a senha, ou não conhece, e se não, então nem comece.

Então o Esquerdo pega o receptor dele no chão e liga de novo. Aqui é a base, caralho — diz com um tom de voz que parece calmo — atenção pra senha: o Forte dá o rabo pra Moscou. O Forte dá o rabo pra Moscou. Câmbio.

Então emputeço de uma vez por todas, porque tá tudo bem e tudo certo, mas insinuar impunemente tendências pró-russas na minha pessoa, isso ninguém vai não.

Atenção atenção — berro no walkie-talkie, pra dar pra ouvir bem mesmo com a antena arrancada — ligação interrompida, situação de alarme. O Esquerdo é bicha, gay e castrado.

Mensagem anulada — berra o Esquerdo no receptor — senha correta: o Forte é veado, e a mãe dele tira a calcinha pros russos.

Aí já não agüento. Não agüento psiquicamente. Penso em matar ele. Sério. Porque minha mãe tudo bem, dá pra falar tudo dela, mas que ela ande por aí de calcinha, isso é uma infame calúnia, é uma pessoa tranqüila por natureza, do sexo materno, não é escrota de mulher nenhuma, muito menos pró-russa, e ninguém vai ficar falando depravação nenhuma dela, especialmente o Esquerdo. Oquei. Se é assim, então tá. A gente foi colega? Foi. Já não é? Não é. Pronto. Pego o walkie-talkie e digo o seguinte, porque isso já não é brincadeira: câmbio. Câmbio.

E aí mando sem qualquer escrúpulo: Arka Gdynia Futebol Clube só bicha ninguém se ilude.

Depois desligo de uma vez por todas pra sempre, se bem que já quebrei mesmo essa merda e em suma tô desligando isso por nada, só pelo efeito, pelo desfecho. O Esquerdo fica imobilizado, a impressão foi tão forte que ele solta o ondas curtas. As mãos dele balançam no vento. Choque, frustração, caos, pânico. Fico pensando se não exagerei um pouco na força do meu argumento.

Nisso a ação podia a qualquer momento ficar mais rápida. Um dois três, vade-retro, bolacha na cara, porque deixar o Esquerdo puto é fácil, aí que nem no *Dinastia* a câmera ia dar uma virada pra trás, o programa ia ser ao vivo exclusivamente pra telespectadores acima de quarenta, depois de uma da madrugada. Então iam mostrar um canteiro, árvores, idílio total, campo, sombra e água fresca, o McDonald's ao pôr-do-sol, se pudesse até comprava pra Izabela um papel de parede assim, pra ela sentar de noite no sofá e ficar admirando. Enquanto isso nos fundos, fora do enquadramento, onde já não iam mostrar, hardcore total entre o Esquerdo e mim, nas unhas e nos dentes, de puxar o cabelo.

Aliás cabelo pra puxar nem tem, mas isso já dava pra fazer com os efeitos especiais. Porque o Esquerdo e eu, a gente tá tão esquentado, um tá tão a fim de partir a fuça do outro que a coisa ia ficar feia, e aí nada de nuntchako, táticas técnicas boxe profissional, só olho arrancado e fígado e ovo puxado pela garganta. E admito que também ia ter participação nesse negócio, porque tô puto de alto a baixo. Vou dizer inclusive que talvez o primeiro a partir pra cima fosse eu, porque na minha opinião não tem sentido ficar aqui sustentando grandes expectativas, "não é assim, Esquerdo, como você tá pensando", "eu não acho isso não, isso é idéia do Kacper" e outras lorotas. Arka Gdynia Futebol Clube só bicha ninguém se ilude e fim de papo, tenho dito, a maçaneta foi aberta, o Esquerdo tomaria umas porradas na cara, eu também ganharia as minhas no endereço pra devolução, porque o cara é crescidinho e tá de speed até na alma. E assim a gente ia se pegar firme por um tempo, uma hora eu ia estar por cima e dizer: Arka Gdynia Futebol Clube só bicha ninguém se ilude, outra hora ele ia estar por cima e dizer: Lechia Gdańsk regatas veados e sapatas. E assim talvez a história se acabasse, a gente dava fim um no outro e depois era só vida além do túmulo, que aliás ninguém sabe se tem, se não tem, ou então se tem uma terceira possibilidade.

Mas como já dei a entender não é isso que acontece, oh não. Bem pelo contrário. Porque quando ele já tá pra pegar e partir categoricamente pra cima de mim, nisso aparece a Angela. A Angela. Sem quê, nem porquê. Completamente sem sentido. Chega de repente numa mountain bike marca Mountain City. É uma bicicleta bonita, roubada se compra fácil com os russos. Prateada, invocada, com bolinha nos raios. Vem lá das bandas do anfiteatro. Com um diadema na cabeça e a respectiva faixa, Miss Público

2002, faz um círculo em volta da gente, uma das mãos no guidom, e a outra acena e cumprimenta as multidões, faz gestos de quem distribui autógrafos, tira da bolsa os óculos escuros pra despistar as multidões. Aí na mesma hora eu, e o Esquerdo também, eu me esqueço inteiramente do assunto. Porque ela parece uma rainha negra, uma rainha triunfante andando de bicicleta, com sua coroa e sua faixa, suja de chocolate dos bombons nos cantinhos da boca, o cabelo preto esvoaçante feito um estandarte, porque o mais provável é que ela tenha vencido essa guerra.

Faz círculos, veio de bicicleta direto do estrangeiro, de países frios, de países escuros, pra nos salvar. Trouxe pra gente uma luneta, trouxe doces estrangeiros, suco de laranja e leite longa vida, e um pacotinho de boa anfetamina estrangeira embalada em porções duplas, com sabor de fruta efervescente. Veio pegar a gente, eu no banco de trás, e o Esquerdo no quadro. E aí o quê? E aí nada. Eu e o Esquerdo, na hora a gente esquece tudo que dividia a gente e vai rápido na direção dela, ombro a ombro a gente apalpa a bicicleta, que ao que tudo indica foi bancada pela Câmara Municipal, roubada.

A Natasza me deixou andar — diz com orgulho a Angela e confere se o vento não tirou da cabeça dela o diadema. Tá com uns risquinhos pretos nos cantos da boca. Hoje vai vomitar carvão combustível.

Posso dar uma volta? — pede o Esquerdo e junta as mãos feito se fosse rezar, Deus, seja bom e me deixe dar uma volta, aí ela responde que tá legal, mas não vá me quebrar as marchas nem a campainha, que a Natasza põe pra foder com a gente.

E enquanto o Esquerdo tá dando uma volta, antes que eu consiga falar com a Angela qual é e como, e como é que foi lá com o

Sztorm, legal ou brochante, aparece na curva sem mais nem menos um carro azul marca polícia com o vidro abaixado feito um posto de venda móvel do Juízo Final. Aí tudo de supetão parece claro pra mim, porque me ocorre que aquela lambisgóia do McDonald's ligou pros meganhas pra se vingar. Com certeza se ofendeu quando o Esquerdo disse que ela tava horrível. E na mesma hora fone na mão, alô, aqui tem dois assim e assim me dizendo palavrões, mexeram num fio de cabelo da minha cabeça, meu boné da firma caiu, peguem os dois por favor e pra pedreira com eles. Na mesma hora os homens se arrancaram dos importantes trabalhos de solo na contenção de bêbados e tumultos pró-russos, alô alô, aqui fala Żbik Gato-do-Mato, rapazes, temos um problema, tentativa de extorsão de coca no McDonald's, estamos indo para o local da ocorrência. E chegaram aqui num piscar de olhos, pra salvar esse mundo de Deus do anal sex terror.

Fodeu — digo, porque de repente tudo me parece perdido. Porque tô consciente de que agora não vai ser mole, bilu-bilu, não cuspam, não digam palavrão e não escrevam com giz na calçada. Agora o hardcore vai ser do grosso, se fosse só uma anteninha de walkie-talkie arrancada, se fosse só o outro walkie-talkie que tá adubando a grama, se fosse só aquele palhaço cuspido, taria tudo na boa, ainda daria pra explicar tudo, pra atenuar, pra limpar o que sujou. Mas não. Porque a caixa aflita fez xixi na calcinha da firma, o McDonald's foi exposto a graves perdas financeiras e morais.

E por isso tanto eu como o Esquerdo, talvez até mesmo a Angela, a gente vai pro beleléu.

E o Esquerdo ainda não sabe, confiante dá suas voltas com a bicicleta, liga e desliga o dínamo. Quando se aproxima da gente,

"E o senhor já era, o senhor não existe, zero de benefício, zero de assistência social, o senhor não tem filhos, o senhor não tem registro, o senhor já era."

aí vê também qual é a situação. E tenho certeza de que tá com mercadoria. Mas já é tarde demais. O carrinho vem chegando. O vidrinho vai baixando. Um babaca de macacão preto à prova de incêndio com cara de serial killer com prisão perpétua e pena de morte nas costas vai levando no carro a bunda preta estatal, igualzinho como se estivesse saindo de férias, braço pra fora, maior relax, quem sabe ainda um drinque e cama de armar. O do lado a mesma coisa, só que além disso, no âmbito do trabalho dele, das obrigações super-sérias, vai segurando o volante. É pago pra isso, quem não ia querer, segure aqui essa roda, ó, você vai receber um monte de grana e ainda um macacão à prova de balas pra trabalhos no jardim e na horta.

E ele diz pra gente: tão com documentinho? Nada de bom dia, nada de circulando, porra, educação zero, pura grosseria sem corantes artificiais.

É feito o momento da morte, você já tá morrendo, já não tem perdão, você sabe que tá com os bolsos cheios de mercadoria, tá cheio de pecado rabiscado a lápis pelas margens, e é isso, nada de apagar nada, a professora recolhe a folha, tempo esgotado. E é assim mesmo agora, fim do bem-bom: documentinho, por favor, com tipos que nem vocês não tem muita merda não, a gente tem aqui uma maquininha extra especial comprada pelos contribuintes, a gente enfia a identidadezinha do senhor aqui e ela sai do outro lado em forma de tirinhas, e o senhor JÁ ERA, o senhor não existe, zero de benefício, zero de assistência social, o senhor não tem filhos, o senhor não tem registro, o senhor já era. Bah, se ainda fosse senhor, você já era, caralho, é, desaparecido, pode ir pra casa, mas com certeza sua casa também já era, já foi anulada.

A gente fica parado e olha pra eles. Aí já são mais categóricos. A porta abre e eles saem, fazem uma linha de dois, e dizem pra gente: documentos, mas isso de um jeito que só dá pra responder uma coisa: já vai, tô pegando. Depois é pôr o joelho no chão, e beijar em seqüência o anel com o sinete dinástico e o relógio. Eu e o Esquerdo olhamos um pro outro. Sim ou não. Mostrar ou não mostrar. Lamber as botinas dos babacas com a pontinha da língua ou não. Isso acontece rápido, são frações de segundo, que se espatifam feito vidro debaixo dos nossos pés. Chega. Um olhar e sei que a coisa não vai ser boa. Os porcos pretos raça gestapo tamborilam impacientes o chão com as botas de couro humano.

Nessa mesma hora a Angela deixa a bicicleta cair.

Documentos da bicicleta — dizem no ato ao ver isso, apontando pra ela com o rádio — comprovante de direito de propriedade de bicicleta. É um reflexo condicionado profissional, aprendem isso no liceu de polícia, é só mostrar um sujeito, o focinho deles se enche de saliva, acende a lâmpada correspondente e dizem: documentos, mostram uma bicicleta é a mesma coisa, saliva, lâmpada, só a senha é diferente: documentos da bicicleta.

Eu e o Esquerdo no ato olhamos pra Angela. Porque de repente a gente toma consciência de que o acontecimento todo é provocado por ela em pessoa. Não é nossa culpa, foi ela que chegou aqui de bicicleta, deixou marcas na calçada, veja só, grande adepta de seita naturalista, e destruiu sem escrúpulos o lindo, inocente gramado da firma. Além disso essa anfetamina que o Esquerdo tem no bolso é dela. É ela que cafunga feito um dragão, já emagreceu trinta quilos porque tá mandando agora meio quilo por dia, e precisa de cada vez mais, aliás dá pra ver por ela que praticamente já se compõe de pura anfa, e o resto é tudo desenhado na cara com carvão.

Pois é e chegou aqui agora mesmo enquanto eu tava com meu colega bebendo uma coca. A gente falou na hora pra ela não andar na grama, pra não destruir o verde. Ela nada. Meteu no bolso do meu colega essa mercadoria e disse: é pra vocês, meninos, a primeira dose é de graça, vocês vão ver como vai ser legal, todos os problemas com a escola e com os pais vão sumir. A gente não queria essa porcaria, essa imundície aí, mas ela insistiu. E pelo olhar do Esquerdo vejo que nessa questão das confissões a gente tá em total cooperação e entendimento.

A Angela diz pra eles o seguinte, mesmo estando evidentemente com medo: mas eu sou a Miss Público.

Eles olham pra ela, depois um pro outro. Isso pode ser verificado — um desembucha. Aí tiram pela janela o globo negro gestapo na ponta do cabo do rádio e um deles diz pra Angela o poema que aprendeu na primeira série do liceu noturno de polícia. Sobrenome, nome, data de nascimento e endereço, número da casa, nome de solteiro do genitor, número do sapato, quantidade de janelas em casa. É uma tabela oral pra Angela preencher. Aí vai tudo em seqüência. Coisa sabida, Angelina Sakosz e assim por diante. Peso vinte e oito quilos. E assim por diante. Aí o que conseguem memorizar eles transmitem pelo rádio gestapo. E lá por trás desse sistema todo tá sentado o Grande Irmão, fuma um cigarro e responde. Confirma que tem uma Angela, que tá nos registros. Aí confirma os dados que ela passou. E ao mesmo tempo acrescenta uma coisa ou outra do arquivo dele. Que foi vista em companhias suspeitas, que é suspeita de manchas iconoclastas num ônibus da linha número 3, conforme denúncia de um dos moradores da cidade, dirigente da oposição ecológica que ataca as autoridades do município junto ao governo federal e às associações vegetais por causa da questão dos esgotos. Religião: fundamentalismo satanista anti-russo, Miss Público desse ano no Dia Sem Russo. Tudo isso é transmitido pelo receptor, esse programa de rádio para a glória da Angela e eu e o Esquerdo só olhando em volta, passando a mão no cabelo, cem por cento de ingenuidade, a gente não tem nada a ver com ela, a gente inclusive é de outro sexo.

Então os policiais ficam conferenciando um instante no mais estrito segredo gestapo. E nisso dizem o seguinte, a coisa que eu e o Esquerdo menos esperávamos. Dizem o seguinte: a senhora queira por favor seguir adiante e preste atenção porque o caminho está escorregadio por causa da tinta, e não converse mais com nenhum tipo suspeito. E se a senhora permitisse eu e o meu colega gostaríamos de um pequeno autógrafo.

Mas não tem o menor problema — sorri a Angela e lampejam os flashes, um tapete vermelho se estende feito uma língua posta pra fora em cima de mim e do Esquerdo, a língua da bocarra do sistema. Com o qual ela convive nas mais favoráveis condições.

E o colega aqui também queria um pra mulher e pros filhos — dizem os meganhas e dão pra ela o bloquinho de multas.

Os nomes das esposas? — pergunta a Angela feito uma especialista e com uma letra enérgica e vistosa sai assinando pra todo lado: Miss, Miss Angela, Miss Público 2002 para Aneta e Wojciech com os melhores beijos da Miss Público Angela Sakosz. Mais, quando eu espio por cima do ombro dela vejo que escreve também aqui e ali "satã 666" e "uma só raça, a raça polonesa".

Opa — digo sem levar em consideração que a polícia tá escutando — como é que de repente você ficou radical assim, hein, Angela? A fama deve ter subido à cachola.

Que é — responde na lata a Angela, faça o favor, como é que ficou topetuda de repente, disse três frases sobre as espécies favoritas de verdura e de repente agora ganhou especialidade de "oradora" do chefe de escoteiros Sztorm bordada na manga do vestido — os poloneses me escolheram, então sou a favor dos poloneses, não dos russos, lógico, não?

Depois diz na direção dos policiais: um instantinho, e me puxa pro lado.

Você não entende, Andrzej? — diz cochichando, conspira total — Polônia ou expansão da URSS, de um jeito ou de outro o fim tá próximo. E o Sztorm me fez tomar consciência de certas coisas. Ele diz que se eu me apresento em nome da direita nacionalista vou ganhar um sarau só pra mim no centro de cultura, e quem sabe até vou ser publicada na *Areia Polonesa*, isso a gente ainda vai ver. Foi uma grande chance pra mim.

O que é, o colega da senhora é pelos russos? — pergunta desconfiado o meganha quando vê nossa crescente intimidade e o caráter estritamente secreto da nossa conversa, cabo esticado de uma boca à outra, top secret.

O Andrzej? — pergunta a Angela que nem boba, como se de jeito nenhum fosse capaz de perceber que o cara tá com a pata na pistola. A gente na verdade se conhece há bem pouco tempo — acrescenta ela sem rima nem sentido. E depois, vendo o que aprontou, pega a bicicleta, manda pra mim e pro Esquerdo um beijo com a mão, acena pros policiais e afunda o pé no pedal. — Quando ficar sabendo direito daquela palestra dou notícia! — diz de partida feito um bonde chamado desejo e toca a campainha.

Então a gente fica sozinho. E aí num segundo já não tá tão agradável.

Um autografozinho? — digo pra desanuviar um pouco a atmosfera cada vez mais tensa que vai se criando entre a gente, tão tensa que tá prestes a arrebentar, e se a gente puxar com mais força vai levar o impacto todo nas fuças.

Um caralhozinho? — diz um meganha e cospe, já sem qualquer preocupação em disfarçar suas intenções. Agora pro bagageiro — diz pra gente o outro pegando o cassetete. — Vamos pra delegacia.

Fico meio que parado, dou uma espiada no Esquerdo. O Esquerdo completamente descontrolado, já pensando que são os últimos instantes de ar livre dele, então se esforça pra guardar o máximo nos pulmões e na boca. Olha em volta o tempo todo, planeja fugir, tá com os olhos cheios de lágrimas. O olho aliás tá subindo e descendo que nem uma persiana despirocada, que nem um cortador escangalhado.

Mas ô, autoridade, por causa de quê? — diz finalmente assim choroso, porque na certa tá com esperança de que a gente aqui só no papo, o céu tá com pinta de tempestade, a festa tá muito boa, e nesse meio-tempo fiu — a anfa toda de repente desaparece do bolso dele. Se parar aqui é proibido, se ficar em pé aqui é proibido, a gente pede desculpas. A gente promete que nunca mais vai se comportar assim feito animal. Aconteceu uma vez — é verdade. Mas sabe como é, né, autoridade? O cara tá indo, cansa, pára um pouquinho, bebe alguma coisa. Nisso engata uma conversa e esquece que aqui é proibido parar. Mas eu e o Forte, a gente já tá indo...

Tá indo foder com a raça de uns tipos... — acrescento, porque apesar de toda a frieza quem sabe lá nesses bolsos todos estritamente secretos desses macacões de jardineiro eles têm um coração de serviço além da tesoura. Quer dizer, não — explico e gesticulo, porque lembro que todos os palavrões vão ser riscados de preto. Quer dizer, a gente tá indo ali dar uns tapinhas nuns merdas...

...do Cazaquistão — se anima o Esquerdo e ataca nos sentimentos de direita. Porque parece que vieram pra cá, uma porra de uma excursão aí, pra fazer um levantamento pra futuras deportações de poloneses, pra pilhagem das casas polonesas... a gente tá indo dar um pau neles. E só parou aqui pra tomar fôlego, porque a gente tá com pressa, senão eles se mandam...

Os meganhas porém são inteiramente insensíveis pra essa triste história pró-polonesa, compaixão zero, zero de compreensão pros impulsos patrióticos, frieza integral. Um me pega pela mão pra dançar, o outro o Esquerdo, cavalheiros com cavalheiros, santo ofício, empurrando a gente pra radiopatrulha um recita pro outro: escreva aí, caralho, sem maneirar em nada. Repetido desacato a policial. Vulgarismo e injúria. Destruição sem precedentes em ampla escala do verde e das flores públicas de propriedade estatal. Insinuação de compadrio e tentativa de corrupção, oportunismo pró-russo.

E antes que a gente se dê conta do que tá acontecendo, antes mesmo da gente pensar que é o fim do bem-bom, eles já pimba com a porta no meio da nossa cara, e a luz apaga, o fluxo de ar é cortado, e não, fim, o tempo já era, o tempo tá preto. Mas antes ainda que consigam trancar o cadeado o Esquerdo em desespero consegue gritar por desforra com a voz meio embargada:
Lego fodido de merda! Lego polícia fodido!

Diante disso também ficam inteiramente imperturbáveis, os enfermeiros da gestapo. Escreva ainda o seguinte — diz o cara depois das palavras do Esquerdo num tom "vocês aprontam com a gente, a gente apronta pior com vocês" — os dois sob grave ação de narcóticos sem possibilidade de estabelecimento de contato no sentido amplo do termo. Graves alucinações, gritos, provavelmente doença psíquica no sentido amplo do termo, com metástases.

E antes da gente sair, ainda fumam um cigarro. Até ali eu não tinha levado nada muito a mal, porque eu mesmo me dou conta de que tô com tanta vontade de fumar que sou capaz em sinal de protesto de pegar o Esquerdo mesmo como refém. Além disso tô com sede, me sinto cada vez pior. E quando acho no chão da radiopatrulha uma caneta com a inscrição "Polícia Polonesa Sociedade Ltda., Empresa de Ordem Pública prop. Zdzisław Sztorm", na hora boto ela pra fora pela grade e cutuco um dos meganhas nas costas, implorando pra me deixar dar pelo menos um trago.

Aí ele se afasta feito se tivesse se queimado e fala pro outro: Ah caralho. Escreva logo o seguinte pra não esquecer. Surtos injustificados de agressividade com uso de instrumento afiado.

E fica nisso mesmo. Ele apaga o cigarro sem acabar de fumar, joga fora, e eu só vendo esse desperdício pela janelinha, animal de jardineiro de merda, não fuma e também não dá pro outro. E a gente vai. O Esquerdo, no desespero, chora. E aqueles dois o seguinte. Um no volante, o outro de esguelha pra ver se a gente não tá combinando nada. O Esquerdo me dá a entender, olhando pro bolso onde a anfa arde feito brasa, que a gente tá ferrado, e ele mais ainda. E aí eu que já não sei o que fazer dou um grito: cuidado, tá queimando!

Apesar do vidro eles ouvem alguma coisa, então olham pra gente. E aí digo: à direita! Mostrando a direita. E numa fração de segundo, quando eles de puro e burro reflexo olham pra direita, antes que consigam sacar que é enrolação, o Esquerdo dá conta de tirar a anfa do bolso e de malocar ela ali debaixo de um cobertor, e com a outra mão faz o sinal-da-cruz. É o que rola.

Aí então tudo é um, dois. A gente sai da radiopatrulha. A gente vai de mansinho, nem precisa de algemas, porque já deu pra aprender que qualquer coisa que se diz ou que se faz são parágrafos e parágrafos, cada palavra é torcida pelo avesso e usada contra você.

Fodeu — é o que o Esquerdo repete — Lego fodido, Lego fodido.

Então fazem todas as santas inquisições, primeiro tiram retrato 3x4 da gente, no qual penso que devo ter saído bem mal. Depois sala número vinte e dois, e o Esquerdo outra. Pra mim é designada a vinte e dois, pra onde sou levado pelo braço por um dos meganhas, ainda escuto o ondas curtas quando ele transmite: tô levando ele pra vinte e dois, a Masłoska registra o depoimento e chega dessa zona.

Já não faz a menor diferença pra mim o que tão fazendo comigo, mas justo isso aí me parece meio esquisito, esse nome. Porque já ouvi ele em algum lugar, não tô bem certo onde, mas revive em mim a esperança de que talvez dê pra acertar alguma coisa na base de um conhecido, apertar uma mão aqui e ali, dizer alguma coisa gentil por mim e pelo Esquerdo e tudo ainda se ajeita, se acerta, ainda beijam a mão da gente antes da saída, contornam as pegadas dos nossos sapatos com pincel atômico vermelho, aqui passaram Andrzej "Forte" Vermski e Maciej Skerdowski "Esquerdo", mártires em defesa da revolução anarquista na Polônia, injustamente acusados e aprisionados na batida do dia 15 de agosto de 2002 às oito horas da noite. E bem aqui na delegacia vão botar a porra de um museu patrocinado pela Câmara Municipal, numa vitrine meu jeans e minha jaqueta num manequim, na lapela da jaqueta condecorações pela fidelidade aos ideais anarquistas, pela derrubada do fascismo, por mandar à merda os turistas fascistas. E o jeans ainda com a mancha feito uma relíquia da Miss Público do Dia Sem Russo, vão vir multidões, vão pôr a mão no vidro e em poucos dias tá tudo curado, pereba, espinha, down, todas as doenças de repente vão embora, e naquelas garotas que já deram e por exemplo preferiam não ter dado, cresce tudo de novo direitinho e podem se casar tranqüilas sem remorso e em caso de censo populacional e inventário podem marcar dez em dez pontos no quesito "pureza e inocência". E eu é que não vou ficar à toa, arranjo uma porra de um disfarce e viro chefe do negócio todo. Ingresso — dez zlotis, cura: cinqüenta, leite de passarinho, um zlotis a unidade, a caixinha quarenta (saco plástico — cinqüenta cent), excursão até o túmulo da Sunia — trinta zlotis mais o ônibus dez por cabeça, consulta com a Ala — vinte, se bem que eu mesmo afinal não sei quanto, porque a bem da verdade a consulta com ela não vale merda nenhuma, e não quero empurrar pra cima das pessoas charlatanismo e profecias de seita New Age. Só a própria essência anarcoesquerdista de todas as coisas e navios de liberdade vogando por mares de liberdade.

E enquanto tô pensando isso, imaginando, vendo com os olhos da minha mente, ao mesmo tempo a porta se abre. E sai por ela um sujeito que na verdade não tem nada a ver com o assunto, porque parece ser apenas um simples figurante entre os vários que trabalham neste filme. Mas percebo logo que tem alguma coisa errada com ele e que isso tem relação direta com esta sala, com certeza entrou sorridente, cheio de otimismo e com a coluna reta, e agora vai saindo e é essa escoliose avançada, essa corcunda cheia de água de reserva pra ressaca moral, e tudo, essa mudança toda foi questão de entrar justo nesta tal de sala vinte e dois. Lâmpada nos olhos, torturas psíquicas, admite ou não admite o fato de ser chegado dos russos, temos provas disso, temos fotos de você, patriota pra todos os efeitos, mas grafite pra lapiseira dos filhos comprava russo, é, então tome lâmpada nos olhos, tome escoliose. Atrás da máquina tá sentada uma datilógrafa sinistra e registra tudo o que ele disse, mas de um jeito que caiba no formulário, seja lá como a pergunta tenha sido pré-configurada ela escreve: sim. Sim, cultiva uma orientação pró-russa, sim: quer a ocupação, sim: jura pela Polônia que não foram os russos que aumentaram a salinidade do Niemen. E isso tudo só porque o "não" na máquina não funciona, justo essa expressão foi eliminada do teclado. E isso ainda antes da guerra se desencadear, arrancaram as teclas já no interrogatório dos artistas plásticos inclinados ao Solidariedade.

É, mas quando ouço "o próximo" e entro, verifico que essa datilógrafa aí não dá pra acusar de falsificação dos resultados das escolhas morais sob lei marcial, porque calculo de memória que naquela época ela nem sabia o que é sim e o que é não, provavelmente ainda nem tinha nascido e ainda não existia nem sinal dela. Porque assim no olho tem no máximo uns treze anos.

Bom dia — vou dizendo logo pra ser gentil, assim quem sabe aprende rapidinho a escrever "não". Não responde, e na mesma hora começo a suspeitar que rola entre a gente alguma falta de respeito, especialmente porque ela tem uma cadeira mais alta do que a minha. Atrás de mim vai logo entrando o meganha e diz: depoimento, Masłoska, é pra você levar depois com café e bolo pro comandante, ele que falou, e é pra você também dar um tempo lá com ele pra um papo sério, ele que falou. Nisso a Masłoska diz bem alto: sim, senhor sargento, e ao mesmo tempo estéreo resmunga alguma coisa pra si mesma, uns vulgarismos, alguma coisa sobre a União dos Escoteiros Poloneses. Quando escuto o que ela diz, enquanto olha pro teclado e mira uma letra depois da outra com um dedo só, na mesma hora me dá a impressão de que eu é que devia o mais rápido possível sentar atrás da máquina e escrever a história dessa doença. Mental ainda por cima.

Sobrenome — diz. Eu nem aí. Vermski — digo. Primeiro nome? Andrzej, muito prazer — acrescento — e o seu?

O meu é Dorota — diz e olha tão esquisito pra mim que até começo a alucinar que tipo já sabe tudo de mim. Mas qual é. Olho pra ela, talvez a gente tenha se encontrado em algum lugar alguma vez, em alguma discoteca em Luzin ou Choczewo no verão, mas é difícil reconhecer, porque ela tá com um macacão azul, uma fantasia intitulada *Motorista de ônibus Neoplan*, grande demais por falar nisso. O relógio não tá na hora certa, na mão esquerda tem escrito de caneta um "E" de esquerda, e na direita um "D" de despirocada, e escrevendo ou fazendo qualquer coisa confere tudo de novo e de novo.

Nome da mãe... — murmura pra si mesma — ô, nome da mãe caralho... Ma... ci... ak... Iz.. a... b.. ela.. um "ele", de solteira... Ve... r... ms.. ka... caralho.

Aí me dá um estalo. Alguma coisa me cutuca com o dedo, ê, Forte, acorde aí, tá rolando alguma alucinação da pesada, essa datilógrafa tá aí sentada, você nem sabe ainda se ia querer traçar ela ou não, e ela sem mais nem menos tá sabendo nome e sobrenome da sua própria mãe. Acorde aí, Forte, aqui tá rolando alguma coisa e você tá por fora, aqui debaixo, aqui nas paredes tão escondidos os olhos de alguém, clandestinos, clarividentes.

Você trabalha? Estuda? — puxo conversa pra me livrar um pouco desse filme doente em que me enfiaram e fico pensando se por acaso isso não é o começo de alguma sessão de torturas.

Continua a escrever, a ignição é meio lerda, e quando de repente me diz: o quê?, fico até com medo, porque a cara dela não é muito normal, é como se ela não fosse da mesma quadra que eu, mas de uma outra. E aí é assim meio que teste de compreensão oral da parte dela, a garota tem pelo menos a vantagem de entender polonês, se bem que o mais provável é que fale algum dialeto próprio centrocontinental, no qual se inclui também o jeito de fumar. Se diga aliás entre parênteses que enquanto vai escrevendo assim na máquina, ao que tudo indica trava consigo mesma uma escaramuça verbal das brabas nos pensamentos, uma guerra civil interior e combates fratricidas na faca de cortar pão, uns cálculos interiores na base de uns números irracionais lá só dela mesma. Mas em polonês também se faz entender assim assim, então me diz: Ô. E isso, e aquilo também. Todas. As respostas. Estão corretas. Você ganhou. Esse prêmio.

Aí pega, arranca da máquina a letra "n" e joga em cima de mim. Mas não acerta, porque na certa confundiu a direita com a esquerda.

Nisso resolvo não dar mole, porque o fio da amizade já se atou entre a gente, e quem sabe o que vai ser, uma palavra puxa outra palavra, vi um filme legal ontem, depois ela se solta, me dá o número do celular, eu pego o golf do Kacper emprestado, vou pegar ela, a gente vai pra algum lugar à beira do lago pra um café, um chá, e de repente nesse meio-tempo se descobre que as letras "n", "a" e "o" foram reencontradas e começaram a funcionar com força total, e se apertam feito loucas debaixo dos dedos dela na configuração correspondente, a configuração do "não", pró-russo? — ela escreve: não, alcoólatra? — ela escreve: não, culpado? — ela escreve: NÃO.

Aí digo pra ela o seguinte: e onde você estuda? Ginásio, liceu de economia, cursinho à distância?

Nisso ela futuca alguma coisa lá na máquina assim meio agressiva, dá uns sopapos com a mão. NÃO, responde assim com um certo descontentamento, uma certa mágoa. Aí de novo dá o ar da graça aquele meganha, diz pra Masłoska se apressar com o café e o bolo porque o comandante tá entediado, e pra ela aprender umas piadas e anedotas novas, porque das outras parece que o comandante já tá de saco cheio. E é pra ela agora mesmo parar de fumar, porque isso faz mal pra tosse dela ou qualquer coisa assim, e isso deixa o comandante nervoso. Ela diz de novo: sim, senhor sargento, e entre os dentes bufa alguma coisa pra si mesma, algum palavrão lá de novo sobre a União dos Escoteiros Poloneses e campos de concentração.

Aí ainda batuca ali alguma coisa feito se tocasse um instrumento numa banda retrô, e depois de supetão empurra a máquina com o maior barulho, tanto, que a porra da máquina por pouco não despenca em cima de mim, e voam por causa disso vários papéis, folhas, que nem aves domésticas dela, brancas, fodidas, que ela alimenta com migalhas dos sanduíches. Uma doida dessas eu ainda não tinha visto.

É legal aqui, aconchegante — desconverso cheio de medo de que alguma coisa ainda pior dê na telha dela, me matar por exemplo, me furar com a ponta da caneta e do lápis, porque se vê nela que é capaz disso. Se diga aliás entre parênteses que é ruiva. Mas na raiz já tá sem tinta. No parapeito as flores todas tão murchinhas amém, as persianas verticais de produção russa tão fechadinhas amém, e tem um copo cheio de pequenos, vagarosos animais aquáticos, e na escrivaninha vários gráficos estendidos, que ela faz o tempo todo, até durante a conversa comigo. E enquanto tá assim sentada só consigo suspeitar que o eixo perpendicular ípsilon significa emputecimento, e o horizontal xis passagem do tempo. A função é crescente. Agora, em relação ao horário atual, o nível de emputecimento é bastante alto.

Nisso acende um cigarro, me dá um também, e sinto que tudo ainda vai ficar legal entre a gente.

E onde você estuda? — insisto.

Formação. A distância. Pro ensino. Fundamental — diz ela num tom tipo "vou deixar meu peão aqui, fiquem jogando vocês". Pra pessoas. Sem. Certificado de conclusão do ensino médio.

E o que você fez, profissionalizante? — insisto.

Não — diz — liceu. Fiz. Mas na prova pro certificado. Me reprovaram.

Mas que caralho — digo tipo assim indignado, solidário com ela, indo lado a lado pro prédio do Ministério da Educação Nacional pra despachar a direita de lá em carrinhos de mão — e por que isso?

Por quê? — diz amargamente — por falta. De moral. Moral de menos.

Então começa a me contar lá alguma coisa. Que ganhou aí um concurso, nalgum lugar aí, um jornal, *Você e Estilo*, ou *Mulher e Vida*, que ganhou isso aí dois anos atrás mas só agora publicaram, porque antes tinham muitos anúncios urgentes pra publicar. E se não perdi o fio da meada, o negócio é que foi publicada uma espécie de diário, as memórias dela. Puta que pariu, que história — digo pra não passar por bobo que não entende nada e desesperado fica abanando a cabeça. Calado, pô — ela parece ficar meio magoada e aperta o botão na caneta, clic, uma corrida, quem é o mais rápido, ela, clic-clic na caneta, ou eu chacoalhando as pernas. Isso ainda é canja, agora é que vem o hardcore, o que aconteceu depois.

E conta. Que o tal do diário parece que foi lido por uma professora dela ou coisa assim, e aí quando ela foi fazer a prova pro certificado, a tal professora foi desagradável desde o princípio, com uma atitude hostil e perguntas traiçoeiras. O negócio é que lá no diário ela escreveu o que não devia, que fuma, por exemplo, que aconteceram várias coisas de natureza immoral na vida dela, e a tal professora pegou o diário e leu na maldade. É o que entendo da história toda.

E fui reprovada — diz, deixando a cabeça desabar na escrivaninha —, reprovada em religião.

É mesmo? — pergunto, pra todos os efeitos, com o maior interesse, porque com gente doida precisa de cuidado, tem que tratar na ponta dos dedos, quietinho, você é absolutamente normal, só um pouco diferente dos outros.

É — diz com a voz embargada e de desespero cobre o rosto com papel pra máquina de escrever — é mesmo, na prova oral de religião. A mulher me perguntou se Deus existe. Aí fiquei completamente abobada de tão nervosa, no fim chutei a resposta A, que existe. Mas a mulher tava tão atravessada comigo por causa do diário, por tudo que tava escrito lá, fumar, mostrar a calcinha, que assim mesmo me reprovou, disse na frente da comissão que colei, que sozinha eu nunca ia saber isso, que colei de alguém. E me reprovou.

Que cachorra — digo enfático pra que saiba que concordo de cabo a rabo com ela e que tô até inclinado a ir com uma equipe na quadra dessa professora e dar uma mijada na porta dela, e também a apelar pro juízo dos filhos dela, pra que não dêem mais na vista na escada, nem no pátio, nem no parquinho.

Aí choraminga, funga o nariz, pergunta se tenho lenço de papel.

Não chore, você tem olhos tão bonitos, digo. Mas quando de repente ela levanta eles da escrivaninha, error, curto-circuito, não é essa a senha, não é essa a voltagem, explosão, instalações danificadas. Porque aí subitamente me ocorre, no maior pavor, que mesmo se eu quisesse muito nunca ia poder chegar junto, proibição total, sinal vermelho mais zunido vibrante, o contato traz risco de vida. Mas por quê. Porque de repente é aquela impressão que vem de um sonho meu antigo, lembro bem, mas não vou contar aqui não, só vou dizer que nos papéis principais era eu e meu mano, mas a partir daí as caras tão borradas e as vozes distorcidas por computador, porque é iberação da norma mesma, da pesada, totalmente psiquiátrica, uma perversão ali pro lado que não deve, uns filmes doentes do george em fita de má qualidade, um hard porno thriller inconsciente se desenrolando dos rolos durante o sono. Numa palavra depravação incestuosa executada mutuamente no seio da família na cama da família. Acordei no maior pavor, no maior desespero, e o dia inteiro não podia nem olhar pro meu mano de nojo, depois que eu e ele, todo mundo sabe. E agora tô com a mesma sensação de pavor, com vontade de fugir dessa garota, porque de um golpe me convenço de que ela é eu sou minha alguma genética talvez irmã ou mãe, se bem que assim talvez até eu nunca tenha encontrado ela mesmo. Porque tudo bem, gosto de um monte de garotas e mulheres, mas tão completamente pervertido não sou pra postular relações dentro da família. E ainda por cima, considerando a cara dela, pedofilia.

E ela também parece assustada. Não me enche, Forte — diz aborrecida, depois logo se corrige — quer dizer, Andrzej.

Mas já ouvi tudo que ela disse, ela disse "Forte", o que aumenta minha paranóia. Porque se isso é alguma sessão secreta de torturas pra arrancar de mim algum oculto complexo pró-russo de Édipo eu me rendo, e se quiser ela pode de antemão sair escrevendo: sim, sim, sim em tudo que é lugar, contanto que me deixe, você já pode ir, Vermski, eu mesma vou preencher tudo por você como bem entender, mas em troca disso você tá livre, chega desse filme doente pra cima de você e pegue aqui um briochinho pro caminho.

Mas ela não.

Afinal de contas não tô tão mal aqui — suspira, apontando com a mão desocupada o reino arruinado dela, de persianas fechadas e flores secas, reino praticamente sem janelas, onde só tem uma hora do dia: a noite, e só uma estação do ano: novembro, é estranho que o mau tempo não atravesse o teto, neve e granizo, e que ela não esteja aqui sentada de casaco e capuz cobrindo a cara. Sabe, não é tão mau, não faz muito tempo passei a ter minha própria cadeira — diz — minha própria máquina de escrever...

O que na certa dá pinta de ser assim continuação das confidências, mas só pra revelar minhas opiniões pró-russas antinacionais antipatrióticas.

Porque era pra eu ir pra universidade — continua. Polonística, sabe, sempre fui boa em polonês, em gramática. O que eu mais gostava era análise gramatical da frase. Além disso escrevia poemas, várias obras. Algumas os meus amigos e conhecidos até diziam que eram bonitas, que eu podia até ganhar algum concurso com elas. Sabe. Eu tinha talento, eu sabia e sei usar direito o eu lírico, e o epíteto onde é preciso. E eles pareciam gostar, mas ao mesmo tempo eu ouvia dizer que se via ali a influência da frase de Świetlicki reelaborada por Dąbroski..., você entende como isso foi duro pra mim, eu pensava que escrevia sobre os meus sentimentos e de uma hora pra outra se descobre que escrevo sobre sentimentos que o Świetlicki e o Dąbroski já tiveram. E é isso aí, contar mais o quê. Aí fui reprovada no certificado e tudo veio abaixo, a mamãe me arranjou com um conhecido esse emprego. É isso aí.

Você não me venha de muita merda — digo, porque devagar vou perdendo a paciência pra essas confidências de duas caras dela, pra essas confissões falsas, feitas na pressa só pra me pegar, inventadas na hora pra ver se também falo alguma coisa, "não se preocupe, Dorotinha, a minha vida também não é fácil, acabei com a minha namorada, entrei nuns assaltos, complicação da grossa com os meganhas, porque aqui no fundo da alma tenho uns painéis russos em casa, e meu mano trafica aí uma anfa, sem falar na minha mãe, que aqui entre nós faz umas tretas na importação de azulejos", e assim por diante, palavra a palavra, a cachorra ali sem escrever nada na máquina, só com o pé num pedal, e em resultado vem à tona que tô frito, sentença de cinco anos de cana prisão perpétua e exílio. Ela tão bacana, franca, pela aparência treze anos, um pouco mais nova ia até sumir. Parece até capaz de juntar as migalhas da mesa e me dar, parece até capaz de me adivinhar o futuro na borra do chá podre onde cria uns animais invisíveis, mas eficientes. Finge ser minha amigona, na hora a gente tá na maior intimidade, mesmo ela tendo no máximo treze anos, na hora a gente tá íntimo, na hora não sei de onde ela sabe meu apelido.

E mesmo se não for como tô pensando, se ela não for me sacanear desse jeito e me cagüetar, ainda assim pode pegar e me descrever lá numa obra dela, que que isso importa, usando meu nome verdadeiro e dados pessoais, e aí o pró-russo aqui que não saia de casa pro resto da vida de tanta vergonha.

Seguinte — digo full sério, as piadas e anedotas acabaram, até empurro com as duas mãos a escrivaninha pra botar medo nos espectadores. De onde você conhece meu apelido? Mas sem enrolação.

Nisso ela fica meio sem jeito, meio que sem saber o que dizer. Olha em volta procurando onde se esconder da minha fúria, quem sabe na gaveta, faça o favor, eu assim mesmo arranco ela de lá pelos cabelos quando me emputecer o bastante. Aí diz o seguinte.

De onde conheço seu apelido? É, conheço, não dá pra esconder. E então pega umas pastas, atas, um bordel completo, a maior criação de papelzinho, uns passarinhos brancos prensados de bruços, amarrados em maços. E começa a ler, coisa que faz com fluência, apesar da idade evidentemente infantil. "Andrzej Vermski, pseudônimo 'Forte', nome de solteira da mãe Maciak Izabela divorciada empregada oficialmente na promoção de artigos de higiene Zepter por Zdzisław Sztorm carteira de trabalho não interessa. Visto no dia de hoje 15 de agosto de 2002 na festa no anfiteatro da cidade em celebração do assim chamado 'Dia sem Russo' com uma certa Arleta Adamek, pseudônimo 'Arleta', condenada na condicional por participação em espancamento parágrafo número não interessa, no caso datado de 22 de fevereiro de 1998, número de série do caso um três oito três um um, número de série do espancamento mil e setenta e oito, número de série da acusação, isso já não interessa. Suspeito de provocar a queda do morador da cidade Adam

Witkowski e de derrubá-lo na lama, como também de destruir insolentemente os haveres do supracitado na forma de uma lingüiça simples de um colorido que manifestava simpatias prónacionais. O lesado Adam Witkowski declara..."

Chega — digo, porque na minha cabeça tudo começa a rodar. Porque talvez até na banheira, e até meus sonhos talvez tão sob permanente vigilância. Você tem mais disso aí? Acrescento debilmente.

Aí ela encolhe os ombros, abre uma gaveta e digo: fodeu, porque se revela diante dos meus olhos um arquivo inteiro da KGB, forrado, desses de filme de ação americano, onde feito diferentes espécies de animais tem um monte de ata empilhada e amarrada, um verdadeiro laboratório onde florescem em escala de massa a espionagem e a marcação mental.

Antes porém que ela consiga fechar vai entrando um meganha e diz o seguinte: Masłoska, termine logo e já pra sala do comandante, ele tá esperando você, tá sem companhia e puto da vida por causa disso. Isso em primeiro lugar. Mandou antes você se pentear direito, e também reclamou dessas suas raízes aí aparecendo. E em segundo lugar dê um tempo agora com esse folgado, porque tem um assunto que o comandante mandou resolver em caráter de urgência. Parece que uns espiões do Cazaquistão, que tavam numa excursão, levaram umas porradas de um pessoal voltando da festa — explica o meganha — mas nada de provas e zero testemunha.

Então rapidinho ela muda a folha na máquina e o sujeito dita pra ela de uma outra folha.

"D" / "E"

"À embaixada do Cazaquistão em Varsóvia — embaixada escreva com minúscula. Isso tem que ser mais aqui no meio. E agora assim, parágrafo. Informamos que a Câmara Municipal — isso ponha aí com maiúscula — não reconhece que tenham ocorrido agressões da parte de moradores poloneses natos — poloneses com maiúscula — da cidade contra uma excursão turística proveniente do Cazaquistão. A Câmara Municipal nega com pesar — isso com maiúscula — que tenham ocorrido distúrbios, e que quatro cidadãos cazaquistaneses tenham sido surrados e insultados em razão de sua origem (identificaram-se alegando possuir raízes polonesas não-comprovadas e provavelmente falsificadas, inquérito em andamento). Lamentamos essas agressões não-comprovadas da parte do Cazaquistão, como também a tolerância e o apoio à espionagem. É com dor que declaramos o rompimento das relações diplomáticas e a proibição completa de entrada no terreno da cidade aos ônibus e excursões turísticas do Cazaquistão. Do Cazaquistão — isso ponha aí com maiúscula, e debaixo: assinado, Presidente da Câmara Municipal Empresário Autônomo Mestre engenheiro de administração de recursos naturais e circuitos hídricos — Roman Widłowy."

Então a Masłoska tira a folha da máquina, sopra em cima dela, depois no lugar da assinatura rabisca a enérgica assinatura "Roman Widłowy, mestre em engenharia" e bate o carimbo correspondente.

O meganha pega o papel, olha se ela não fez algum erro, se tudo tá full sério e diz: termine o depoimento desse folgado e vá ver o velho. Então sai.

O que que você é aqui, bundinha do comandante? — pergunto então pra ela na lata como é. Porque fica aí toda timidazinha, vozinha fina, grande satisfação a título de cadeira giratória própria, batucando toda humilde uma letrinha por minuto, e com o bico fechado com certeza descola com o comandante patente de general, faixa e bússola, e na moita manda e desmanda nessa porra toda fumando os cigarros dele.

Ôôô — diz cheia de amargura — muito pelo contrário, esse mala acaba comigo. A cada quinze minutos me chama porque tá entediado. Manda pintar paisagens, retratos *en face* dele com tipo um bosque ao fundo. Se amarra que eu leia um monte de livros. Primeiro me manda dizer o título e o autor, que ele anota. Me promete em troca disso uma suposta transferência pra uma sala com persiana que abre. E um suposto uniforme no meu tamanho, mas isso não é certo, porque o suposto orçamento. Preciso sempre dizer tudo pra ele, o plano geral do livro lido, oquei. Todo o mundo representado. Ele anota tudo na agenda, e depois decora. Depois, quando acontece alguma coisa, alguma disputa com o Serviço de Limpeza Urbana, algum protesto dos anarquistas, ele manda referências literárias a torto e a direito pelo microfone e se finge de culto. Verdade. Foi nessa base aliás que fundou aqui no Comando da Província o Clube Policial do Leitor, chamado aqui de Cepolê. Levanta uma grana com isso. É o presidente. Nas horas de folga preciso escrever as conferências dele pras reuniões, tá ligado? Por exemplo essa aqui, a última que escrevi — nisso a Masłoska pega umas folhas riscadas de alto a baixo — "nas últimas semanas o índice de leitura no serviço da ordem cresceu em até 25%. Os títulos com maior freqüência de empréstimo são de aventura e fantasy. A estante que desperta o menor interesse é a da literatura soviética, casos de empréstimo esporádicos e rapidamente rastreados entre o pessoal dos escalões inferiores. O maior número de empréstimos entretanto foi registrado na seção de literatura romântica polonesa, razão pela qual o comitê do CPL decidiu pela aquisição de novas reedições de Mickiewicz e Słowacki".

Esse tipo de coisa preciso escrever, e às vezes de propósito faço erros. Dois dias atrás por exemplo fiz até uns ostensivos de ortografia contra o sistema e a pontuação, polícia máscara da Babilônia. E ninguém nem desconfiou, os caras do clube com certeza nem escutam quando ele lê, só ficam comendo às escondidas palitinhos e jogando bolinhas de papel uns nos outros.

Então encolhe os ombros e diz o seguinte: porque pra eles todos isso tudo aqui na verdade não interessa merda nenhuma. E esse lugar todo na verdade nem existe, então pra que ficar se cansando, pra que levar isso a sério, se dedicar, ter motivação pra fingir melhor? Então ela bate forte na parede e diz o seguinte: afinal aqui nestas paredes não tem concreto nenhum, tijolo nenhum, nada, Forte. Pode conferir, aí dentro tá tudo recheado de jornal velho. Isso tudo é provisório, Forte, isso tudo aqui não existe.

Enquanto olho pra ela, vou ficando fraco. Porque isso já é um exagero da pesada, alucinação ostensiva descarada armada bem na frente dos meus olhos, se tenho que olhar pra essas coisas, então prefiro até começar a ir pra igreja. Porque ou ela tá tão chapada que já era tudo que é conexão que tinha na cachola, ou então tá com uma esquizo da braba, portas da percepção fora dos gonzos e amém, fica aí zanzando e maldizendo pela delegacia, com esses filmes inteiramente doentes sobre materiais artificiais. E quando quer fazer alguma coisa, escrever à máquina — então escreve, deixam ela em paz, no máximo às vezes põem um pouco de nervosol no chá dela, pra não ficar profetizando demais da conta que o comandante vai pro inferno por desvio de verba.

Você não tá entendendo nada, Forte? — ainda tenta me explicar tudo e ainda estranha que esses horóscopos esquizoidados não me causem impressão, não quero saber de seitazinha de análise nenhuma e não quero uniformezinho nem docinho que ela venha me enfiando, a primeira dose é grátis, bagulho foderoso, fica parecendo que não existe nada.

Mas ela continua lá com o mesmo filme: você não acredita que essa delegacia existe, né? Não quero contar nada pra você, mas ela tá aqui de isca. Eu também tô aqui de isca, e esse uniforme em mim — nisso me mostra como as mangas são compridas demais, meio metro de folga, chegam até no joelho — isso tudo é traste emprestado, fibra de vidro, papel. E do outro lado da janela não tem tempo, nem paisagem, é só cenografia. Se você bate mais forte, cai e desmonta. Isso não tá acontecendo de verdade, entende, só tá escrito. Em gráficos, em tabelas, em atas, em cadernos...

Oquei, oquei — digo e empurro minha cadeira pra trás, vai que essa psíquica ainda me acerta sem mais nem menos com uma vara, me fura com a caneta pra aumentar a expressividade —, tô entendendo tudo. Eu não existo, você não existe, a gente não existe, isso já tá definido. Agora chega de conselhos sobre o sentido da existência e a essência das coisas, porque a gente tá aqui de conversa fiada e os russos tão se armando. Me pergunte aí o que é preciso, e vou sumindo dessa merda, porque não vim aqui pra levar eletrochoques psíquicos, só pra um honesto e autêntico depoimento. Ou deponho, ou fim de papo, pra seita não entro, tenho outros interesses nas horas de folga.

A Masłoska já vai tomando fôlego pra me dizer ainda alguma coisa e explicar os delírios dela.

Já tá prestes a pegar um quadro, uma vareta e mostrar o crescimento do delírio em relação à quantidade de chá bebido. A quantidade de chá aumenta, aí aparecem efeitos sonoros, luminosos, garças de origami voam nos olhos dela, por hoje agradecemos à senhora, foi muito agradável, mas a senhora deveria dar uma boa dormida. E ela sabe disso, ela deixa pra lá. E tudo bem porque mais uma palavra e ligo do celular pro hospital, pra eles virem aqui e levarem o prédio todo, e pra botarem ela imediatamente no haloperidol.

Mas acho que ela entende minha posição obstinada e inabalável, diz oquei, Forte, oquei, o assunto nem existiu. Vai ser como você quer, dou carta branca pra você. Eu podia revelar tudo nesse depoimento, suas idéias de esquerda, podia até escrever nesse papel que você participa da associação dos ímpios militantes. Você ia ficar com a barra suja na cidade inteira. Mas não, na paz, seja lá o que você tenha de idéia vou marcar aqui a categoria: anti-russo radical de tendências de direita. Em "realizações pessoais em prol da polonidade" a gente põe... não tem importância, eu escrevo alguma coisa, atividade de agitação, propinação de camponeses... daqui a pouco eu penso. E você se quiser já pode ir, tá liberado, apareça aí qualquer hora, a gente joga dama, me amarro em dama.

Claro — digo por fim num estilo já mais amistoso, porque assim no geral a garota foi gentil, emotiva, se bem que totalmente pinel, até os ossos. Por enquanto nada ainda é certo, sei lá se sobrevivo a esse rolo, por ora tô aqui e por exemplo, antes que eu consiga sair, ela pode me tacar uma faca ou uma flecha tirada dali debaixo da escrivaninha. Por isso nada de briga, desejo a ela bem alto tudo de bom nesse novo caminho que tomou na vida, que ganhe umas letrinhas novinhas e saradas pra máquina, aquelas que até agora não existiam.

Coisa que eu também desejo — suspira ela, arrumando os papéis — porque já tô ficando maluca aqui. Imagine que agora nesses últimos tempos é só caso de pró-russos, de colaboração com o inimigo, de incitação. Teve um, literalmente um, de tentativa de extorsão de anfetamina, eu quase fiz xixi nas calças de alegria por poder escrever outras palavras além de "pró-russo", "antipolonês" e "sim". No mais é o tempo todo história de serrar corrente em cerca, de emporcalhar bandeira, de vender chá que não é polonês, já tô literalmente me vendo num filme, como se estivesse escrevendo um livro sobre isso.

É, claro, escreva aí — digo pra ela no fim — de preferência de memórias. Com o título *Fui uma pinel.*

E dizendo isso antes que ela consiga me matar, o que tenho certeza que ela tá planejando, trato de me escafeder da sala no fast forward, bato a porta. Porque ainda preciso voltar pra pegar o ondas curtas que perdi, não vou deixar pra lá, quero ele de volta. Porque gostei dele, brinquedinho maneiro.

E quando saio correndo no pátio sem ser detido por ninguém, na mesma hora quero conferir se o que ela disse não é assim por acaso meio que verdade. E preciso conferir, porque senão todo mundo aqui pode ter me sacaneado bonito. Dou uma corrida até o muro e primeiro bato nele bem de leve toc toc. E de fato pra meu grande choque o barulho que faz não é como se eu batesse num muro, mas como se estivesse brincando com isopor enquanto desembrulho uma televisão. Isopor papelão e lã de vidro, é disso que é construída essa cidade, você achava, Andrzej, diz a minha mãe lá da fogão fritando uma lingüiça, você achava que tá vivo, você sonhou a si mesmo, você teve um sonho erótico sobre si mesmo. Você não pode estar pensando que isso é de verdade, essa cidade é de papel, eu sou feita de papelão, parece que vou pro trabalho de carro, e quando você me olha pela janela indo embora, nem percebe que é fajuto, comprado na banca. É, é, Andrzej, se iluda, colabore com a fotomontagem que a Masłoska preparou pra suas necessidades, enfie a cabeça nesse buraco.

E já não agüento um filme tão doente. Não agüento. Uma sacanagem psíquica dessas que tão praticando comigo, esses inimigos desconhecidos do outro lado do rio, que nesse teatro todo puxam os fios, fazem em mim experimentos com animais, produzem com meus tecidos cremes com elastina e colágeno, me criam pra fabricação de sapatos e bolsas. Não suporto essa incerteza, tremo inteiro de indignação, de desespero. E como disparo de uma certa distância, como arranco na toda e me jogo na porra dessa parede, com o braço, o corpo todo inclusive a cabeça, como acerto esse negócio todo. Mas então já não sei o que é verdade e o que é papel. De novo se espalha a escuridão.

E dali em diante já não foi assim mole feito em desenho animado não, com cachorrinho de pano vermelho e xadrezinho preto. Tralalalá, o cachorrinho se estatela no chão, racha o focinho no canto do armário e só vê estrelas, tudo light, logo se levanta, sacode fora o que desgrudou e se manda em frente balançando o rabo. E se quebra um vaso, na boa, porque o vaso logo se cola sozinho, o cara da edição já dá um jeito da fita voltar atrás, aperta rew antes que a Ola tracinho Ela volte da escola e fique zangada, o que você fez, seu danado, que bagunça, parece até o estábulo de Áugias, quando a mamãe chegar você vai ouvir poucas e boas.

Não tem dessa, nesse aparelho aqui só tem o botão do play, apertado pra sempre, incrustado na construção. E o filme avança. Mas de uma coisa tenho certeza, essa maquininha do senhor quebrou, meu senhor. Alguma pecinha, alguma porquinha aí não tá legal não, a fita arrebentou e balança no vento.

Afinal não quero ser acusado por mentir. Porque qualquer um vai dizer: tá, tá, Forte, tchau, é bom você ir pro ambulatório mais próximo se tratar dessa mitomania, a gente ainda arranja pra você um cartão de paciente preferencial e paga a contribuição pra previdência social. Porque coisas assim não acontecem, diga você mesmo, quem é que vomita pedras, isso é absolutamente impossível. Sei que uma vez o Kisiel bebeu cerveja com ponta de cigarro, aí engoliu uma, depois vomitou duas, mas isso é fisicamente possível. Mas você tá de embromação aqui, você tá embaçando a coisa toda, essa sua alucinação é desproporcional, você tá com as telhas empenadas pra valer, alucinação de zinco, você não consegue distinguir o que tá acontecendo de verdade desses delírios, cara. Tá, tá, Forte, tudo confere direitinho, a gente gosta de você, na paz lá na quadra, mas nisso aí a gente não acredita, ah, isso não, a gente é adulto ou não é?

Digo o seguinte: não preciso provar nada pra ninguém. Que cu. Chega. Juramento pela bandeira branca e vermelha não vou fazer.

Vou dizer sem rodeios: essa noite imensurável caiu provavelmente por decreto datado de 15 de agosto de 2002 por ocasião da topada que dei no muro do comando regional da Polícia Polonesa soc. ltda., coisa de que me dou plena conta e que vou logo dizendo honestamente. E isso não é nenhum vade-retro não, não é nenhum dedo enfiado no meu olho pelo distribuidor da terra de Oz na Polônia. Isso é perda de consciência na versão clássica, sobre a qual se pode ler em qualquer manual do simpatizante da Cruz Vermelha Polonesa. E se você ainda somar a isso as outras reações químicas, o envenenamento com o venenoso panadol americano e as interações medicamentosas indesejadas com outros produtos farmacêuticos, anfa e nervosol, então é lógico que não posso estar legal, e a chapa do cérebro não tá só empenada, mas quebrada em duas, e não é lá só um curto nos contatos não, a Kasia Kowalska toma speed mas speed não existe, é falência definitiva do sistema de instalações nervosas. E considerando mesmo a lógica, não ia ser possível que nessas ciscunstâncias da natureza eu simplesmente arrebentasse a cabeça no muro e pronto. Foi dormir umas horinhas, acordou em ótima forma, lépido e fagueiro pra um novo dia melhor, e começou a trocar os móveis de lugar.

E vou dizer ainda o seguinte: porque é certo que perdi a consciência, mas essa não é uma perda de consciência comum não, tudo escuro, você olha pra direita, olha pra esquerda e nada.

É cheia de sonhos, alucinações agudas e nítidas, e não tem jeito de simplesmente pegar e sair, dizer até a vista e bater a porta. Não dá. A festa tá rolando, e você tá na festa, ligado no teto por mil cabos diferentes e não tem retorno.

Só vou dizer com relação ao que disse antes que: a doideira foi da pesada, da pesada mesmo, a maior doideira da minha vida e se antes eu costumava ter sonhos ruins, eles nunca foram ruins a esse ponto. Sempre tinha ali uns vasos ligados na realidade. Mas agora é só esse vidro cheio de doideira hermeticamente fechado e UHT.

Aí foi o seguinte e digo isso sem rodeios, sem grandes teorias, metáforas e explicação das palavras mais difíceis: uma fábrica de brasões. Um sujeito desparafusa a cabeça da águia, outro tira o que tem dentro, parafusa de novo a cabeça, outro passa a ferro e cola a coroa, outro cola num fundo vermelho. Cooperação total, produtividade cem brasões por minuto. O barulho é de uma verdadeira carnificina, depois do ferro as águias na linha de produção berram aos céus por vingança, deixem a gente ir, a gente não concorda. Nisso se vê que é tudo um filme vindo de um projetor. A Masłoska tá na frente da tela, balança uma varinha. Tem público. Duplo, porque se reflete nas janelas, então tem duas vezes mais público, cada vez mais público. Quem são esses? — grita a Masłoska pra multidão alvoroçada, batendo com a varinha na tela. As sa si nos — escande o público enfurecido. E o que eles fazem? As sa si nam. E o que sentem as águias? So fri men to. E o que mais? Dor!

E assim em círculo. Nisso de repente aparecem na tela ninguém menos que o Kwaśniewski com a Jolantą Kwaśniewską, reproduzidos dos jornais, juntos, de mãos dadas, no bosque e no passeio, que alucinação é essa, o público já percebeu, já entendeu, e grita: empalhar o presidente, empalhar o presidente! A multidão enlouquece, destrói tudo que encontra pela frente e nisso sem mais nem menos ouço um grito se erguendo sobre os demais: empalhar o Forte! E a multidão na mesma hora começa, e eu também, pra não dar na vista com as minhas idéias, junto com eles: empalhar o Forte! empalhar o Forte! E aí não é que a Masłoska aponta para mim a varinha, vejo a ponta dela mirando no meu tórax, e aí digo: qual é, Masłoska, a gente é amigo um do outro, né? A gente é amigo, que que é isso de repente, voce já não gosta de mim? Se ofendi você aquela vez, sorry aí, pô, não tava falando sério, pô, pô, Masłoska... não encoste... deixe... mas tenho o pressentimento de que o meu fim tá próximo, que já não demora, alguma coisa tá pulsando, tá meio que batendo até, e penso que deve ser meu coração que tá dando esses arrancos desesperados um pouco antes da morte.

Puxa, ele falou alguma coisa da Masłoska — diz alguém pra alguém, e então enxergo o que sou capaz de enxergar através da fresta, que é uma garota, a Angelika Sakosz aliás. E eu apostaria que ele não lê *Seu Estilo*, que esse tipo de coisa irrita ele. Sabe, quando conheci ele pensei que fosse assim viril, sombrio, primitivo. Mas acabou ficando claro que era sensível, primeiro aquele ato de desespero, e agora ainda se descobre que lê *Seu Estilo*, não esperava por isso, de verdade, as aparências são tão enganosas. Se soubesse, a nossa relação teria tomado outro rumo. Conheço essa Masłoska, tudo podia ter sido diferente, ela às vezes lê alguma coisa no "Sótão", a gente podia ir lá junto pra escutar, sentir junto. A poesia dela é bem da que eu gosto, sobre destruição, sobre a desintegração da mulher pelo homem, a gente podia ter ido junto. Essa tragédia toda, esse sangue do Forte derramado, tudo que aconteceu foi desnecessário, totalmente dispensável.

Também, porra — ouço uma segunda voz. Dessa vez mais assim com um elemento masculino, mas pela fresta vejo numa imagem de má qualidade a Natasza Blokus e é essa a resposta correta. É foda o cara chegar a um desespero desse, deixe ele pra lá, Angela.

Mas você não entende, quem quer que eu fosse agora, miss público, jovem revelação nos meios literários, ele não pode num momento tão difícil ser deixado sozinho nas garras do sofrimento, da indiferença por parte dos outros.

Mas e daí, porra, trocar agora as fraldas dele eu não vou, fodeu tudo na polícia, fodeu tudo na cidade, agora tenho mais o que fazer. Você viu aquele estofador de jeans, ele pegou o número do meu celular.

A fresta em mim, através da qual vejo isso tudo, e provavelmente escuto também, é estreita. O resto em volta da fresta é negro, imenso, chega sei lá aonde, e ainda por cima dói. Faço esforços pra alargar um pouco mais a fresta, e apesar de tudo me doer, eu consigo, aí além da Angela Sakosz e da Natasza Blokus vejo ao fundo várias coisas brancas, como se tivessem me enfiado dentro de um forro de edredom. Tudo branco, e um cheiro meio que de lisol, então tenho um monte de visões sobre como e com que fui tratado aqui, e sobretudo onde eu tô, porque essa é a questão-chave. O resto já não me interessa, se cometi suicídio ou não, se bem que não cometi. Só quero saber no que que tô deitado, porque só o que sei é que tô deitado, e nem mesmo tento mudar esse fato, porque sei que basta alguma subversão, alguma tentativa de movimento da minha parte e paf, me tacam de volta naquela sala, onde a Masłoska me finca um compasso e vai desenhando em volta de mim círculos cada vez maiores e maiores, e o público clama bravo, porque sabe que mereci.

Bico fechado, porra, que ele tá acordando — diz a Natasza, que pega e levanta brutalmente minhas pálpebras na força, e não sou nem capaz de me opor, de tal modo tô pesado, completamente, talvez eu esteja grávido de mim mesmo pra me sentir tão pesado e imenso. Chame lá aquela lambisgóia de plantão, ela aplica aí uns vade-retro pra ele abrir um pouco esse olho.

Então dou uma piscada muito da sem jeito e vejo uma imagem de câmera manual.

Segure aqui essas pálpebras dele — diz a Natasza pra Angela e bota ela pra segurar minhas pálpebras — vou buscar aquela xaropeira de branco, porque parece que saiu de férias pra tomar uns drinques.

Aí segundo as minhas estimativas a Natasza sai e a Angela se debruça em cima de mim, vejo meu próprio reflexo se aproximando de mim nos olhos dela, tô com uma cara bem ruim, pior ainda, tô sem cara nenhuma, porque tô integralmente embrulhado, encabado e carimbado pra entrega após pagamento da caução.

Andrzej? — pergunta ela— você não tá sentindo nada?

E aí maior fracasso, porque quando quero dizer alguma coisa, indiferente o quê, a minha boca ao invés de abrir fica ainda mais fechada. Tão fechada que é impossível abrir, pior ainda, talvez já nem tenha boca nenhuma, virou um órgão residual. E quando quero levantar a mão, parece que não tem mão nenhuma também, ou então ela tá presa em definitivo no chão. Porque de repente talvez eu tenha virado uma planta num vaso, tô plantado numa terra branca no parapeito, e a Angela tá falando comigo pra eu crescer melhor e criar mais raízes, aí na primavera ela me planta noutro lugar.

Oquei, não fale nada — fala e faz um gesto de quem ajeita o travesseiro — vou dizer pra você o que tá rolando. Porque na certa você não sabe. Já não é mais ontem, é amanhã. Quer dizer, o dia seguinte. Você tentou cometer suicídio. Mas salvaram você. Você tá no hospital, e quando eu e a Nata ficamos sabendo pelo Esquerdo, na hora o Sztorm trouxe a gente aqui. E a gente tá aí. A Nata foi atrás da enfermeira. Quando voltar ela confirma o que eu disse.

Dizendo isso, ela tira da bolsa os equipamentos de combate, promoção do inferno, retoca os olhos pra ficarem mais pretos. Depois pensa um pouco, calcula alguma coisa, quando vai ficar menstruada, talvez, e por fim decide me dar um beijo na bochecha.

Você não precisava fazer isso por mim — diz, enquanto vai pintando no rosto um monte de risco com o lápis brilhante — não sou digna de tanto sofrimento, dor, confusão. Sei o que você deve ter sentido quando fui embora naquela bicicleta, deixando você sozinho com a flor pisada do nosso sentimento se decompondo em cinzas. Agora sei: não joguei limpo, feri você, mas quando eu tava com o Sztorm não me interessava como ele é, porque ele não era como você.

Quero dizer alguma coisa, que é legal da parte dela ter pensado em mim, mas em vez disso sai da minha boca uma bolha, que estoura espetacularmente e respinga tudo em cima de mim e é capaz até que alguns cacos de vidro voem na cara da Angela. Chego à conclusão de que, no fim das contas, ainda tenho boca, não desgrudou do resto, coisa pela qual agradeço cordialmente a todos.

Calado, que a Natasza tá vindo — diz a Angela, e na mesma hora mete a pata de volta nas minhas pálpebras, cheia de prontidão pra prestar serviço, toda a pinta de estar ali o tempo todo segurando elas, assunto neutro. Sabe? Parece que essa guerra aí com os russos teve uma trégua ontem. A gente sabe pelo Sztorm. Vai ser oferecido um navio, um símbolo assim de amizade, onde os cidadãos poloneses vão poder passear pela zona franca. Pra Câmara Municipal passagem de graça e frigobar. Pra estudantes desconto de 37%.

Oquei, Forte — se intromete a Natasza sentando na minha mão. Aquela morrinha já tá vindo, vai pôr pra você alguma música da Eleni sobre o sol pra ver se você se liga um pouco, você não tá falando nada. Ou então alguma outra cantora grega foda aí. Xota Grátis com seu marido Pica Grátis de casting.

E é isso que vejo pela fresta, que ora a Angela, ora a Natasza vão segurando, maior parto a fórceps, em vida ainda, na frente

242

dos meus olhos. Então vejo ainda uns trambiques e trapaças no comércio do branco diante dos meus olhos, é tudo tão raça branca que até chego a suspeitar que a Izabela me empacotou num guardanapo de papel-pergaminho e que eu mesmo vou me levando pra escola pro lanche, em volta é um grande sussurro, murmúrios em eco pelos corredores. De tempos em tempos acende uma lâmpada fluorescente e se espalha ao redor uma galeria de rostos em blusas de pedra, o busto falante da Angela, um vaso com a cara da Natasza, tipo museu interativo, cheiro autêntico de autêntico lisol B, frufru autêntico de lençóis. Vamos botar a caminha aqui, Magda — uma caminha de calcário de molde pro nosso bebê, e aqui a televisão de mentirinha. Gente branca de sangue branco e carne branca também, carne de ave, carne calcária. E zero de vermelho, águia branca em fundo branco, guerra entre a raça branca pela bandeira branca e branca.

Ei, Forte — ouço um sussurro na mais completa confidência e sou empurrado ainda mais pro fundo da cama, coisa que já nem estranho. Porque tô sinceramente apegado a ela, é um órgão adicional a título de compensação por todos os outros que talvez tenham ido pelo cano. Não morra ainda, fique vivo aí por enquanto. Sou eu, a Magda.

Não minta — digo, ou então só tenho a impressão de dizer, talvez, as fronteiras são tênues, as fronteiras se reduziram a pó, se esparramam no tabuleiro e já não se sabe se ainda tô no campo vermelho ou no branco, mas isso não me interessa. Porque esse pirulito nos dois lados tem pra mim um gosto de total amargura. Não minta, Magda, não diga que você veio. Você tá me fazendo de otário, "tô aqui, Forte, eu vim, mas é prima aprilis e não tô aqui não". Fim. Você podia ter vindo.

Tudo ainda podia ficar legal. Mas você não veio.

Ô, Forte, seu bobo — diz a Magda então e abro os olhos sozinho, sem ajuda das mãos. E me assusto, porque realmente parece ela, mas talvez seja só um boneco, uma imitação que o Barman comprou pra mim com um joguinho de dardos. É um panaca esse Barman, será que ele não sacou que tô com pés e mãos avariados, que me prenderam aqui num monte de tubo e que é só por causa disso que ainda tô inteiro? Fico pensando como é que vou viver desse jeito a longo prazo. Porque vá andar pra cima e pra baixo com esse aparato todo, uns botijões, um radar, os fios se enroscando nas pernas, vá se mexer agora no raio de um metro da parede, mergulhe no ar na profundidade de um metro, e não esqueça as tomadas, porque senão é curto-circuito e adubar a terra em pessoa.

Forte, sou eu, a Magda — diz a Magda e me acena com a mão de dentro do ônibus de partida pras férias. Sou eu, Magda, dei um pulinho pra dar um alô. Comprei pra você Marlboro, mentol, achei que você ia ficar contente. E uma revista de moto, *O Mundo da Motocicleta*, pra você não ficar mais burro do que já é.

Legal, penso. A gente vai de ônibus. Muita poeira, mas é legal, o motor ronca, tudo treme, campos brancos, plantação de giz, museu interativo, levantaram tanta poeira que não dá pra ver as peças expostas. Aliás talvez seja anfa flutuando no ar, porque é justamente época de florescimento da anfa, um monte de pólen no ar, ação nacional geral contra a alergia, ocupação pros desempregados.

Agora escute aqui — ouço da parte da Magda — não seja bobo, Forte. Não deixe que façam isso com você, parece até que eles tão querendo criar rododendros em você pra pôr no corredor.

Aí ela tira da bolsa *O Mundo da Motocicleta* e tenta dar um jeito pra que eu consiga ler. Mas enquanto ela me aperta uma das mãos, a outra abre e a revista capota. Aí a Magda já fora de si com esse meu comportamento tira o radar da estante onde tô ligado e até estranho por não sentir dor quando ela pega ele. E vapt com o troço na minha barriga, quase cuspo a mim mesmo de dor, mas as minhas capacidades de protesto tão limitadas.

Ninguém vai notar — sussurra a Magda pra me animar e põe *O Mundo da Motocicleta* em cima do radar, que bate o tempo todo, talvez seja meu coração artificial que agora vou ter que carregar pra sempre comigo num saco plástico, então ela que trate de ter cuidado pra não quebrar. Vejo agora bem na frente da minha cara um monte de letrinha indo pelas páginas lá pro formigueiro delas. E me dá pena que elas andem tão depressa, porque talvez isso seja a letra de uma música sobre mim e a minha dor, que eu podia cantar pra todo mundo.

Isso porém ainda não é o fim da modernização, porque a Magda ao que tudo indica resolveu melhorar minhas condições habitacionais e sanitárias. Pega um maço de cigarros já começado e com um gesto categórico me enfia um na boca, que cai na mesma hora, mas ela enfia de volta mais fundo, quase no meio da garganta.

Aqui é proibido fumar — soa fracamente uma voz a distância, na certa uma ação antinicotina de funcionamento automático, que daqui a pouco vai dizer o que acha sobre os cigarros e suas conseqüências.

Algum problema? — diz a Magda bem alto. — Não ofereci pro senhor.

Então a Magda olha pra mim e vê que alguma coisa não tá muito certa com esse cigarro.

O que eles querem de você que você de repente começou a falar assim estéreo e com essa batida de baixo? — diz, e pega e arranca de mim todas essas tomadas e cabos esticados do meu nariz pra lá e vice-versa. Assim você vai ficar muito melhor.

Então ainda consigo ver em tempo acelerado como ela joga os tubos no chão, me acende um cigarro, depois já não vejo muito. Porque de supetão alguma coisa pesada me cai no tórax, talvez uma pedra, talvez a minha própria pálpebra, talvez o ventilador tenha despencado do teto, ou talvez seja simplesmente um pé-d'água lá do segundo andar, uma nevasca de camas e pacientes. Mas já não penso mais nisso, porque a possibilidade de pensar eu também perco subitamente, o que simboliza meu derradeiro regresso rumo ao vegetativo.

Não morra... é o programa que tão transmitindo no rádio. "Não morra, venceremos juntos nossa morte comum" — ação social caritativa da rádio Zet e dos roqueiros poloneses. — Não morra — repete o rádio, e depois o locutor meio que perde o fio, porque trocou sem querer as folhas.

Não morra — diz — é tudo minha culpa.

Aí de novo a fechadura entreabre e aparece a fresta, pela qual fico espiando descaradamente o que tem lá fora. Talvez até eu esteja nascendo, olho pro mundo ainda de dentro da

"Pô, não precisa também ir ficando assim tão brava comigo, pô."

minha mãe, mas não me agrada nem um pouco o que tá acontecendo. Esse teto aí não é normal, é um teto móvel, vai andando bem na frente dos meus olhos, as lâmpadas fluorescentes desaparecem e aparecem de volta, talvez a gente esteja agora numa fábrica interativa de lâmpadas fluorescentes. E de repente tem também um monte de rosto, barulho. É tudo minha culpa — explica alguém chorando — agora vou ficar só com você, não morra, isso não tem nada a ver, o que tem a ver é se divertir... E isso tudo foi brincadeira... de verdade mesmo não fiquei com ninguém, nem com o Esquerdo... nem com aquele operador de som... entenda isso, eu só tava brincando, pra irritar você, idiota... agora tudo vai ficar legal...

Não morra, Forte, é você que tá dizendo isso, Magda, pelo telefone, por um megafone. É outro chilique seu, compre aí um cigarro, compre aí uma meia, não morra. Se você pode, não morra. Não morra se quiser que fique tudo legal entre a gente. Seja camarada, não morra, porque tô com hora marcada no bronzeamento artificial, não tenho tempo agora pra ameaças, quem sabe mais tarde. Ligue pra mim de noite e trate de jurar que você só tava brincando e não morreu, agora tô voando mesmo, mas primeiro prometa que é tudo mentira.

Quero pensar alguma coisa, mas nada. Nem um pensamento, o pensamento tá proibido, tenho vontade de pensar sobre algum tema, aí o rádio de antena arrancada transmite um programa superinteressante de conhecimentos naturais dizendo que tá ventando. Ventando. É uma reportagem live transmitida da cidade, no começo tinha um repórter ao vivo, vocês não podem me ouvir, mas estamos sendo testemunhas de um fenômeno insólito. Na cidade inteira está ventando. O vento veio do oeste e já arrancou todas as bandeiras brancas e vermelhas. Embora vocês não me ouçam bem ou então não ouçam nada, quero frisar que oito pessoas já perderam o cabelo e o número de pessoas desaparecidas ainda não pôde ser estimado. O vento agora está virando à esquerda, está arrancando as sacadas dos edifícios. Surgiram boatos e superinterpretações, afirmando que o vento foi construído pelos alemães, que querem estabelecer aqui um polígono de tiro, e transformar as ruínas das casas em obstáculos para os exercícios de alpinismo das divisões especiais. Venta em uma escala inaudita, o vento não pode ser comparado nem com aquele de 1997, de cujo envio à Polônia o governo acusa Moscou.

Aqui a reportagem se interrompe, talvez o redator tenha levado um tombo, não foi nada, vai ganhar uma medalha, vai ganhar postumamente a Condecoração do Riso e uma bússola do governo polonês no exílio pelo singular inconformismo a serviço da verdade. O vento derruba o rádio da estante e agora é transmitida uma retrospectiva de várias horas sobre todas as espécies de vento que existem. Muito interessante, cada um sopra numa direção e arranca um tipo de coisa, o que não dá pra ver, mas se ouve.

Quando eu sair daqui, juro por Deus. Talvez compre um vento desses, primeiro amador, e depois já profissional do ramo mesmo, se eu não for com a cara de alguém, mando o vento

no barraco do sujeito e tchau, instalação arrebentada, eletroeletrônicos pifados, mulher de calcinha aparecendo, filhos de
ouvido inflamado, e eu sentado, só controlando com o joystick,
bebendo cerveja, a Magda tira a roupa mas eu digo, ô, tire essa
bunda daí, não tá vendo que agora tô seriamente ocupado, que
tô faturando um dinheiro, tô cobrando uma dívida de um
camaradinha aí?

São esses os meus sonhos, todos assim em tom de branco-bran-
co, alguém podia fazer disso um filme e vender, vídeo universal
Minha Primeira Comunhão. Dava pra fazer um bom negócio, o
único gasto ia ser botar em off um fundo musical, depois era
sair pelas paróquias e vender, ninguém nem ia sacar que não são
os próprios filhos, porque tudo ia ser de um branco só, assim
tipo close máximo.

Não precisava morrer, digo pra mim mesmo, agora já nem sei
pra que apelar. Se pelo menos se achasse uma única pessoa honesta pra me dizer a verdade, puta que pariu. Se tô vivo. Se tô
vivo, beleza. Se não tô vivo, tudo bem, vai doer, vai ser chato,
mas de algum jeito eu agüento. Mas assim, sem ter a menor
idéia do que tá rolando, não seguro mais essa não. Meus sonhos, alucinações, que sei muito bem que já tão pra lá das bordas, entornaram em tudo ao redor, agora a gente já tá com uma
fronteira móvel e um feriado móvel, que podem aparecer em
qualquer lugar e a qualquer momento, feito uma pereba. Já não
tô pegando nada, o que é verdade, o que não, onde quer que eu
estique a mão e encoste, o troço é feito de lençol, já conferi

direitinho. Tão me fazendo de palhaço aqui, plantaram o lençol em mim, terra clara mas fértil, e agora o lençol vai crescendo que é uma beleza, a enfermeira vem e poda regularmente, mas mesmo assim cobriu tudo em volta, passou pela janela e vai atacando a cidade.

Quando tô me dando conta disso rola o seguinte número. Sério. Entre os lençóis, entre os pergaminhos, aparece ninguém menos que a Masłoska. Talvez tenha acabado de me tirar da gaveta, abriu o envelope, pôs na mesa, fica sentada e olha. E quando eu começar a me mexer ela abre o berreiro e me estraçalha com um livro. Tudo que ainda consigo pescar é que é ela. Mas preciso dizer que ela tá com uma aparência ainda pior do que a minha, meu Deus. Que eu esteja talvez com uma aparência ruim, é pura lógica, nexos de causa e efeito na natureza, mas por que ela. Chinatown toda inchada, arranjou um trabalho em Berlim Ocidental e se faz de japonesa, nos últimos tempos chora um pouco nas horas de folga por causa do meu acidente, pra ficar com uma pinta mais exótica. Oh, mas que pena de você, minha linda, parece que foi você que me aprontou isso tudo, mas perdôo você, compreensão acima das divisões, eu parti, mas isso também não quer dizer que você agora tem que chorar, encher a cara de flegamina e fazer um atentado aí na sua fiação. Sente aqui, leia um livrinho, não tenho nada contra, até me afasto um pouco, até pergunto o que você tá lendo, se bem que aqui no fundo da alma isso não me interessa merda nenhuma.

Ah, é só uma ficha de umas coisas que tenho que ler na escola, se você quer saber. Tô estudando pra recuperação —

diz, o que me deixa em choque de uma vez por todas, porque além de tudo já vou esquecendo que língua eu falava antes.

Posso até ler pra você em voz alta se você estiver com vontade — diz, é tão boa, de repente tem um coração tão bom, dá comida pros chapins, limpa com saliva as vulgaridades rabiscadas no elevador, mas por favor, uma mão invisível impressa com toda a força na minha cara. E pro meu espanto me lê o resumo de uma porção de livros, às vezes até as histórias são interessantes, a Polônia toda lê pra suas crianças, e você, também lê pro seu filho? Me comove especialmente um conto de fadas em que um cara, chamado Zenão, leva um monte de ácido nas fuças, hardcore mesmo, fico pensando, e com certeza é só o prelúdio, depois vai ficar ainda melhor, mas isso já não escreveram, porque era politicamente não-rentável. Tento dar pra Masłoska um sinal com o polegar, se um determinado herói tem que morrer ou viver, mas só de maldade ela sempre me lê diferente do que eu quero, que putinha incorrigível, eu era capaz até de pagar pro Zenão dar o troco naquela piranha, mas não com ácido, com um pé-de-cabra, e que ainda por cima matasse ela, pra tudo ficar quite, nada disso de um sexo atropelar o outro e um caralho de uma mão lava o caralho da outra.

Oquei, e o melhor é que pra essas histórias tem ainda uma porção de perguntas. E o melhor são as respostas das perguntas, que a Masłoska também lê pra mim. São perguntas sobre coisas que não aconteceram naquela dada história, porque o autor se esqueceu delas, e agora o leitor precisa preencher de cima pra baixo os lugares vazios numerados, que formam uma senha. Tipo uma charada. Tem que adivinhar um monte de coisa, significado do título e informações sobre o autor, caracterização do personagem principal, e tem que aprender de memória a seqüência dos acontecimentos.

Depois tem poemas, legal, leia, leia mais, Masłoska, o que que os poetas escreveram nessas cartas de protesto pra Deus, que nas fotos no folheto tudo era lindo, as feridas cicatrizam e não tem acidentes, e na realidade o quê, condições sanitárias fatais, hotel sujo, nas paredes só se vê Kitsch, gosto zero, guias incompetentes. Nasci com uma ferida no alto da cara e até hoje não fechou, só vou dizer que tá cada vez mais funda, já tô falando só por metáfora. E se aparecer aqui a fiscalização, vão fechar essa merda desse negócio do Senhor, sujei os punhos da minha camisa, minha mulher perdeu o grampo, exijo o reembolso das despesas e nos veremos no julgamento.

Czesław Miłosz manda um telegrama de Berkeley, Edward Stachura e seu inseparável violão, fotonovelas. Nao tá acontecendo nada, mas é muito importante, trate de sublinhar todas as ilustrações, aí com certeza você passa. Ou então me dê aí esse livro, se eu sobreviver recorto essas figuras e fico carregando na carteira, aí se alguma hora eu quiser ganhar você, só preciso pegar elas: oi, Dorota, aquele ali de pelerine é um primo meu — vou dizer. Tá indo pra um banquete com uns artistas, flerte e birita, se você quisesse ir, eu podia apresentar você pra ele. Sobre o que é que a gente tá falando, margens móveis ou anseios sublimes? Sabe, desde nascença alguma coisa me doía no peito, eu sentia um desassossego. Aí um dia finalmente olhei dentro da minha garganta, tinha um fundo falso.

Sério, você acha que sou assim um qualquer, você sabe, duas mãos, duas pernas, o george trocando de marcha, você acha que podia fazer de mim um joguinho de computador. Três golpes em cruz, chute, bolacha e jeans queimado, você procura anfa pela cidade porque o nível de energia tá baixo, e na próxima fase você ainda tem que traçar duas virgens e matar quatro cachorros sem dono. Você acha que ia conseguir só com três vidas e congratulations, we've got a winner, quedas violentas da moeda, você pode comprar tudo que tá vendo, inclusive o cabide, o balcão e a vendedora. Digo pra vocês, se o Forte abrisse uma janela, eu abriria outra, se mexesse uma orelha, eu mexeria melhor, bati as atas dele à máquina e sei de tudo, a profundidade dele não passa da altura do esôfago, ele conhece literalmente duas palavras: não e sim em todos os casos, e puta também em diferentes configurações.

O que, Masłoska, não é assim? Voce tá tão sabichona agora, fica aí sentada olhando, é pra trazer pra você quem sabe um solzinho e pendurar no teto, um drinque com uma cerejinha? Finge estar só olhando, mas qualquer coisa tome berreiro. Mamãe, mamãe, traga o mata-mosca, tá mexendo.

E se não for mesmo assim? Talvez isso que tá aqui deitado na cama seja apenas meu representante na Polônia, talvez isso seja só uma demo. Talvez eu também sinta alguma coisa, se você não é capaz de entender isso, dê um pulo no quiosque e compre uns óculos tridimensionais, depois venha me ver, porque aqui debaixo das minhas costas se estende por quilômetros no fundo da terra meu interior, novelos de cabos e transistores, não olhe porque você se afoga, não toque porque você perde a mão. Sério, onde é que você tá com a cabeça, garota, não se liga em nada, se você quer passar nesse negócio aí é melhor comprar um resumo da realidade com uma colinha grátis pra recortar e depois a gente conversa. Você dá um pulo lá em casa, posso até repassar a matéria com você, teste de revisão com xerox da identidade. Preste atenção, porque as perguntas são cheias de pega: pano de fundo sociopolítico? A guerra Polônia-Rússia é só um fato histórico documentado ou um conjunto de preconceitos circunstanciais? Como evolui a alucinação coletiva em relação às lutas com o inimigo imaginário — desenhe o gráfico com a função correspondente. Isso que você está segurando é só uma simples caneta? (explique em voz alta o conceito: símbolo fálico). Qual é o motivo da inscrição "Zdzisław Sztorm" sobre a caneta? (esclareça oralmente os termos: capitalismo, propaganda, sociedade anônima). Atitudes dos personagens no pano de fundo de sua trajetória existencial, enumere os traços de caráter e a aparência de cada um, em que consiste a animalização dos personagens? Com que propósito se realiza a visão traçada da morte do personagem principal? (enumere os princípios da filosofia New Age, defina a expressão: composição cilíndrica em colchetes). Tarefa valendo nota dez: apresente em forma de gráfico a teoria do fundo falso. Você também tem um fundo falso? Fundamente sua opinião. Na discoteca local você encontra satã — o que você diz? Reaja espontaneamente à situação dada.

Agora você se enrolou, Masłoska. Agora já é curso pra nível avançado, e você em vez de responder fica olhando pro radar, talvez tenham arrancado essa sua língua, finalmente. Bote ela numa caixinha de fósforos e enterre aqui do lado da minha cama no chão, é pena mesmo, mas sobretudo pra mim, agora no máximo você pode mostrar meus dados pessoais pros russos por gestos. Tô com tanta pena de você, abra uma associação, que outras doidas assim sem língua me combatam em alfabeto Morse, se você quiser dou pra você o número da Angela, ela topa na certa, pega o patinete dela e em cinco minutos tá aqui.

Masłoska, que é que você tem? Por que é que voce tá com essa cara, hein? Pô, não precisa também ir ficando assim tão brava comigo, pô. Não precisa ficar fazendo essa cara aí, como se tudo fosse mortalmente sério, como se a vida e a morte estivessem divididas dos dois lados do pires e o saquinho de chá espremido. Ei. A gente pode acertar tudo na paz, né? Eu vou me entediar, você vai bocejar, eu ponho a camisa, você prende os grampos, ONU recíproca, nada de guerra logo de uma vez e um cortando as veias do outro, hein? E quando for morrer dou um sinal, a senhora também tá morrendo? — vou pensar assim de brincadeira, e você vai ler tudo no radar em cima da estante ou pelos gestos das minhas mãos, você vai ver, como vai ser legal. Se magoei você, foi só brincadeira, você não precisa vir logo.

Mas tudo o que vejo depois é ela esticar a mão até a tomada me olhando descaradamente nos olhos. Ah não, Masłoska, deixe isso aí, você vai se queimar, isso não é brincadeira, com eletricidade não se brinca, eletricidade mais criança é igual a já era criança, sobra só um buraco no lugar da criança, pare aí, sei que isso é só uma foto das férias, um slide, eu e você no museu da fiação, a gente tá tão sorridente, tão feliz junto, você tá puxando um tubo, são férias fantásticas, daqui a pouco não agüento mais, daqui a pouco eu pego e caso com você, sem sacanagem. Mas isso já não se vê na foto, porque pisca o flash e de repente fica escuro.

A GENTE TÁ JUSTO FALANDO DA MORTE, balançando a perna, comendo amendoim, se bem que dos ausentes não se fala. São só uns roxinhos e uns arranhões que a gente fez andando de bicicleta, mas nas nossas pernas eles parecem alagamentos, mares violeta, e a gente fala obstinadamente da morte. E imagina o próprio enterro, e tá presente nele, de pé, com flores, escuta as conversas e mais do que todo mundo a gente chora. De mão dada com nossas mamães, a gente joga terra no caixão vazio, porque na verdade a morte não tem nada a ver com a gente, a gente é diferente, a gente vai morrer uma outra hora ou então nem vai morrer coisa nenhuma. A gente tá mortalmente séria, fumando, tragando de um jeito que o eco responde na casa toda, jogando a cinza numa caixinha vazia de aquarelas.

Enquanto isso a gente trama alguma coisa, risca na parede um grande plano de fuga pro interior da terra. Começa a fazer preparativos, apaga as impressões digitais, tira os cabelos do pente, empacota as roupas. Tudo isso pra que cresça na mão do mundo um sexto dedo, morto, pra que se confunda, erre nas contas, pra que tenha a impressão de que a gente nunca existiu. Pra ele se pendurar no cabide no armário, tirar dos bolsos todas as moedas, fósforos e papéis e só sair de novo quando tudo já estiver terminado. Nesse meio-tempo ele que carregue outras coisas, corpos de velhas garotas ressequidos entre as páginas de um livro, rostos de crianças anêmicas.

A tampa foi levantada, o conteúdo tocado e exposto a esse sol assassino, universal. E a gente tenta apertar as pálpebras, mas a pele ficou transparente e a gente vê tudo com nitidez, roupas jogadas, esvaziadas de conteúdo, a barba de alguns dias que cobre o quarto, as calças enfunadas pelo vento, o pacote vazio que sobrou da gente, da gente, que foi consumida de dentro dele.

A gente diz fazendo charme: por favor, mas em vez de galerias subterrâneas no chão uns míseros, desamparados arranhões feitos com um grampo nas mãos. Mariposas pousaram na gente e puseram ovos na manga, e agora a gente tá doente, os curativos saem com a pele, as meias saem com a pele, a pele sai com o casaco. Tá cada vez pior, cuspi uma pequena vesícula negra que a Wanda pegou em pleno vôo e agora a gente tá com um repentino problema de visão, porque vê tudo lambuzado de petróleo, tudo pendurado pelas pernas nas árvores, o mundo inteiro nuns enfeites de Natal balançando melancolicamente ao vento.

Faça alguma coisa, assim já não posso, tudo tem espinhos, o ar tem espinhos, a chuva dá bofetadas, os cabelos se prenderam nos raios da bicicleta, tão saindo junto com a cabeça, faça alguma coisa, me tire daqui.

E durante a noite construíram em cima da gente uma cidade, uma cidade asquerosa, uma grande lixeira, os lixeiros ficam de pé e, apoiados nas latas, lêem jornais velhos, despedaçados. Pontes, linhas de trem e de telefone, carros e ruas se arrastando até o infinito, ruas por onde circulam caminhões de lixo, arrancando das mãos das pessoas pontas de cigarro, papéis e lenços usados. As pessoas me cobriram, as sacolas em suas mãos se rasgaram, pelas calçadas rolaram batatas, maçãs, garrafas se quebraram, o sol se põe atrás dos estilhaços de vidro e das estufas.

Teve um barulho, tambores e pífaros, ruídos como papel amassado nas mãos. Quando a gente mexeu a mão, tudo desmoronou, no rosto ficou apenas o longo sulco do trenó de alguém. Pensei que pronto, tô morta, mas em vez do meu corpo encontrei migalhas nas dobras da roupa de cama.

A gente tem aqui um monte de lembranças: postais com vista da estação e unhas roídas até sangrar e a mamãe diz: não sei o que deu em você pra comer as próprias unhas, o estoque acaba, sobraram só os dedos e as mãos. Você vai ver, em pouco tempo suas próprias mãos vão nascer no seu estômago, vão arranhar e apertar você lá de dentro, você mesma vai nascer no seu estômago. Uma garotinha comeu os próprios cabelos e nasceu no estômago dela um monstro feito de cabelo. Um garotinho comeu um caroço e uma árvore inteira cresceu dentro dele, os galhos saíam pelos ouvidos e pelo nariz. Um garotinho comeu cerejas, bebeu laranjada e morreu. E depois: essa sacola não é pra brincar. Quantas vezes já repeti pra você: não meta a cabeça na sacola! Uma garotinha meteu a cabeça na sacola, não conseguiu tirar e morreu sufocada. É proibido. PROIBIDO. É proibido tomar bebida alcóolica e jogar bola na parede. São proibidos jogos e brincadeiras.

A gente sorri uma pra outra entendendo tudo: atenção atenção atenção atenção atenção! A gente sussurra sarcásticas, tudo traz risco de tudo, a vida traz risco de morte, sente aqui, aqui no tapetinho e não saia pra lugar nenhum.

Comendo amendoim, a gente tá muito séria, todo dia a gente aponta o garfo uma pra outra e morre, e toda manhã é um Pequeno Domingo, uma ressurreição cheia de decepção. A gente esfrega as mãos e joga a marta brilhante da mamãe, a marta de olhinhos de plástico, tristes, pros gatos comerem, dizendo: brinquem aí, tá, brinquem direitinho. Vivos e mortos cruzaram a linha de demarcação e confluíram numa mesma multidão sussurrante, marchando em colunas e filas ao lado das nossas camas, a gente olha pra todos, pensativas, acena com a cabeça e se ajeita nos travesseiros.

Mas agora talvez a gente tenha adoecido mesmo, tudo se apagou, as fotografias em que a gente põe na boca o mundo inteiro ficaram ensopadas de chá preto. É sempre o mesmo dia, interminável, com catarata no olho. A cortina desce de tempos em tempos e operários cor-de-laranja trocam às pressas a cenografia, apagam a luz, mudam o clima, soltam tinta no céu. A gente consegue fechar os olhos e já vão arrumando a orquestra, que quebra pratos e range os dentes.

Na luz baça tudo é cada vez mais o mesmo, mulheres, homens, crianças, bichos, fundidos numa massa homogênea. E nessa escuridão, no chá preto, espesso, a gente já não se distingue mutuamente, a gente perde as formas e cada vez mais se parece com pássaros: e a vovó aperta o dedo entre as nossas costelas ou então dá um tapinha no nosso traseiro, confere se já dá pra fazer um caldo com a gente, ou então pegar e vender no mercado. Já vai fazendo os primeiros preparativos e na calada da noite queima nossas sobrancelhas e cílios.

Uma colherinha colocada no copo, o chá preto começa a girar, girar em volta da gente, primeiro devagar e sem ruído, e depois com cada vez mais força, cada vez mais ruído, os dentes tinem contra a colher. Luzes se derramam na gente como cristaizinhos de açúcar alaranjado, a pequena lua é uma unha roída até sair sangue, os galhos irrompem dos punhos, tudo se mistura, pó, cinza, caco de vidro, as pessoas se fundem com os animais. Nós duas olhamos mais e mais pra dentro, os dutos partiram, fones inertes balançam nos cabos. Venta, o mundo inteiro é vento, chuva de copo se quebrando e um mar de chá derramado.

Quando ninguém tá olhando, a gente esgarça obstinadamente esses fios. O tempo todo a gente fica na expectativa desse momento, tremendo, inseguras, como se estivesse circulando pelo bloco o padre com a procissão de Natal e já desse pra ouvir os coroinhas dourados tocando sininhos. A gente espera até que o sino toque, que se desabotoem todos os botões, e dispara sem eira nem beira pra cidade, pelas nuvens, pelas árvores, a gente enfia a cabeça no asfalto que se derrama pelas ruas. A gente afunda no rio cheio de espuma feito marzanny, bonecas de palha com tijolos amarrados no pescoço, com pedras nos bolsos, com os cabelos em chamas.

A gente desfia acanhadas, quando ninguém tá olhando, faz pequeninos, insignificantes atentados contra esses asquerosos cordões umbilicais. E quando alguém olha, a gente esconde as armas do crime atrás das costas, as tesouras e canivetes com os quais agora mesmo a gente tava descascando laranjas.

Saio de casa. O dia encolhido de infelicidade, as bordas tão arregaçadas que na verdade desde de manhã, desde bem de manhã, já é noite. A mamãe diz aonde você vai, não saia nunca, tem matilhas de cachorros sem dono pelas ruas, não saia. E eu não tô nem aí, mesmo se me comerem, são cachorros decentes e logo vão me devolver meio amarrotada no endereço costurado na aba do casaco. Debaixo dos meus pés a cara lisa e impassível da cidade. A cidade, um grande campo minado, estirado debaixo de mim, como uma terra de asfalto, completamente despovoada.

Sigo muito insegura, não tem ninguém aqui, todos sabem de alguma coisa, de alguma coisa que não sei, se esconderam nos portões. Os cachorros se encolheram nos pátios, os gatos fugiram pros porões. Uma corrente elétrica atravessa hoje a cidade, cada lajota da calçada sob alta tensão. Hoje na cidade não tem ar, em vez de ar puseram gás ou algum meio de desinsetização. É proibido sair de casa, caveira branca em fundo preto. As pessoas ficam assombradas atrás da cortina — tapando a boca das crianças que choram, olham apavoradas como sigo ingenuamente, como deixo confiantemente o vento agitar meu casaco.

O céu hoje tem que estourar, tem que desabar numa chuva de projéteis, de pedras, de peixes e pássaros mortos, o céu hoje tem que estourar. A calçada tá cheia de alçapões, você dá um passo pro lado errado e de repente tá no inferno, tá fritando numa gordura vermelha, satãs comem você com facas e garfos, limpam o cantinho da boca com guardanapo de papel. Digo: por favor, podem me pegar, já não me quero.

Claro que nada acontece, nada dessas coisas, eles não poderiam me fazer uma sujeira dessas, não bem no meio dessa recepção, não bem no meio desse filme, é preciso ainda ocupar os telespectadores por pelo menos uma hora. Encontro uma amiga e é uma grande pena que eu não possa dizer nada. Ela me ajuda um pouco, a gente cola todos os cigarros e já não preciso acender um por um, ando pelas ruas puxando atrás de mim um pavio.

E quando a gente encontra no poste o anúncio "vestido branquinho muito bonito p/ primeira comunhão + bolsinha vendo barato 6771909", a gente arranca e quer ligar na mesma hora, mesmo que ele não passe nem pela nossa cabeça, mesmo que não cresçam ramos de mirto na nossa fronte. A gente pode no máximo arrancar um pedacinho da renda toda farfalhante manchada de cera e carregar na carteira dentro do bolso pra servir de trocado. As luzes lá já tão apagadas, lá tá fechado, ocupado, lacrado, a gente só pode olhar pela grade enquanto um malzinho coberto de pêlo brinca com todo mundo na grade, dá um fuck you pra Deus, tem uma coleção de pistolas de plástico, mete as mãos dentro da calça. Atrás da cerca mora um mal manso e bom, se enroscando nas pernas, pintando bigodes nos passantes. Não dá pra roubar dali, o malzinho foge da gente numa bicicleta rangendo que só, dá um fuck you pra gente, mostra os dentes estragados, o malzinho se esconde numa fossa pequetitita, onde não cabem nossas mãos enormes, cada vez maiores. A gente precisa usar o malzão, o mal de verdade pra adultos, tomar bebida alcoólica, tocar nos homens, fumar.

E depois de repente a gente fica pensativa, a gente viu na calçada dois garotinhos abraçados, eram pequenininhos, siameses, feito batatas tiradas da fogueira. Eram grudados um no outro pelas bocas banguelas, pelos braços de palito de fósforo, pelas barriguinhas inchadas, seguravam na mão uma grande bola, tinham bonés, tinham as mãozinhas vermelhas e as chamas cor-de-rosa das lingüinhas, que puxavam atrás de si como bandeiras, bandeiras de um Estado cor-de-rosa, de um reino de lápis de cor, e o maior cantava: eu gosto de você, amigo! Deixaram um rastro atrás de si, e a gente respirou aquele ar cor-de-rosa e soube que isso não acontece todo dia. Dois pequenos ídolos passeando pela calçada, noivos banguelas, nesse lugar devia ser erguido um templo e todas as preces feitas aqui, os requerimentos apresentados, os votos proferidos iam se cumprir. Um pequeno Deus sorridente ia cumprir tudo, brincando com a barba de algodão, nos lábios rachados ele ia passar creme nívea, ia consertar todos os arranhões com fita adesiva e cola escolar.

E a coisa vem violenta feito luz acesa, feito copo quebrando, de volta do parque a gente sente como a lixeira tá fedendo, aí a gente pega o isqueiro, põe fogo na lixeira e fica olhando pras chamas, que feito raivosas flores alaranjadas começam a florescer pelas paredes, e rindo alto a gente foge.

E quando você for sair, molhe o dedo de saliva e limpe as manchas do corrimão, tire o pó da caixa do correio. E dê uma olhada na parede. Me faça o favor, acabou de ser pintada, vêm esses abusados desses moleques e escrevem: satã. Se bem que é outra facção que lidera nas pesquisas.

Também sublinho que a televisão acabou se mostrando minha melhor amiga, além disso mais higiênica e muito mais gratuita que todas que tive antes, se enfiando aqui com as bundinhas mal-acabadas delas, feitas de matéria orgânica e em três dimensões, nada prático, sem desliga, só liga. E televisão é tudo em euro e estéril, cultura, você liga, desliga, e quase nem dá pra imaginar como lá dentro cabe tudo assim sem precedentes de tão higiênico, essas casas, essas pessoas todas inteirinhas em várias cores e em vários horários do dia, todas de uma vez, do lado esquerdo desfile, do lado direito marcha, do outro uma mulher lava as paredes de casa depois da chuva com o mais novo produto de limpeza do lar após as intempéries, se bem que justo isso aí suspeito que seja cascata, que um pessoal que não aparece tá ali no estúdio e aplaude e fica contente por ela estar lavando assim. Que eles já armaram isso, porque a coisa foi feita através do computador.

Hoje é 5 de setembro de 2002 quinta. Mas e eu com isso, que hoje é justo essa data, se amanhã já vai ser outra maior. Nos últimos tempos tô com a porra do saco completamente cheio dessa confusão com datas, que é a causa desse grande bordel que anda o mundo. Tô com uma patente aí pro registro de patentes, não vou entregar qual é, que devia se impor de cima. Uma única data legal, decente, em vez de uns quatro milhões de datinhas de merda sem a menor necessidade pra caralho nenhum, em 254 tonalidades. Escolher uma data eficiente em eleições livres assim chamadas autônomas. 14 de julho. 17 de setembro ou pelo menos um 11 pra quebrar o galho. Mas em relação a isso eu digo: suspeito que a Izabela tinha além do Zepter um amante na cidade. Porque nitidamente ela não tá e também parou de mudar e de acertar a data da folhinha, não sai do 16 de agosto, apesar de lá fora o tempo ter nitidamente mudado, queda de temperatura, às vezes até pancadas de chuva. As chuvas escorrem pela janela, arrastam a casa, até a televisão foi arrastada, e todas as mercadorias nos comerciais apodreceram, suspeito vagamente isso, porque a imagem se distorce nos cantos. O sol nitidamente se pôs em algum passado distante e encalhou lá embaixo, talvez até pra sempre, talvez até aquela clínica de bronzeamento artificial que tinha na rua Rzeźnicka tenha se posto. Chuvas tem, atmosfera de repugnância geral e novas correntes políticas decadentistas, se bem que esse premiê Leszek Miller garante tudo, evidente, mas não é nada disso. Porque vai se pensar o quê, quando no centro se criam rios no mínimo periódicos, quando não ruas periódicas, você tá como que andando ali, tem como que uma porção de casas, de números, mas é só brilhar o sol eles param de correr e as casas deixam de existir, tudo seca. Em suma até o tempo já parou de me interessar e podiam desligar tudo aí tranqüilo, porque caralho pra que pagar por isso se não saio mesmo, e se "nosso solzinho abra a boquinha" ou alguma outra canção tá tocando no pátio mesmo assim como receptor isso não me diz respeito. Só se diz respeito à Izabela, se ela estragar o penteado no vento, se tem que pegar o biombo. Porque pra mim o mundo tá temporariamente proibido e desativado, o Forte a gente não deixa entrar, a bela Aśka encarregada da seleção me enxota da porta feito um sistemático inseto.

Por que e porque. O doutor Fulano me proibiu isso, e o doutor Beltrano proibiu essa merda, o doutor Beltrano mandou ficar deitado, o doutor Merda mandou não respirar, e o doutor Besta-Fera, isso só o caralho sabe, o doutor Besta-Fera de roupão chamejante mandou não viver, então fico deitado conscienciosamente não vivo e não falo nada, porque li a bula e o carimbo, enquanto isso porém as revistas e jornais *O Mundo da Motocicleta* e o *Calendário do aluno da oitava série*, que a Magda às vezes traz pra mim que nem sobras pseudointelectuais de segunda categoria, já tão em setembro, os programas na televisão simplesmente voam na maior corrida em que canal passa mais, e se bem que não acredite que a Izabela tenha me enrolado e me sacaneado de propósito, essa data não tá me batendo nos cálculos finais. E agora puta que pariu vou ficar sabendo diariamente todo dia que beleza de data é, vou perguntar, conferir, implorar, mostrar vários argumentos, de preferência em duas línguas e capacidade de operação do editor de texto. Vou apresentar requerimento e currículo por causa dessa merda de data, e alguma gostosa talvez até sem nem a escola primária direito vai dizer: deixe ali, nós ligamos para o senhor, mas não ligue, porque o senhor não está vestido com educação suficiente. Tô me cagando pra isso, posso ir vivendo sem medições. Já expliquei isso pra Magda, e ela respondeu que sim. Se bem que muito nitidamente deduzo de todos os sinais na terra e no céu que é setembro, e depois reconheço, talvez veja isso com meu sexto olho, que setembro vai se espreitando pelas minhas costas, e talvez até novembro. Também enquanto isso é melhor não abaixar pra pegar o sabonete, queridas senhoras e senhores, pena que não vão dizer isso na televisão: prezados telespectadores, não abaixem pra pegar o sabonete. É preciso cuidar de tudo sozinho, porque senão um belo dia você acorda fodido e exposto em arbustos pros pobres junto com outras coisas fodidas, sofás.

Se bem que ao assunto, porque mais do que contra as coisas determinadas de cima pelo premiê e pelo instituto, eu tenho reclamações contra a televisão. Acontece justamente que tem vários dias já que ela é minha única amiga de bom senso.

Este livro foi composto na tipologia Aldine401 BT,
em corpo 11/15, e impresso em papel off-white 80g/m^2,
na Sermograf.

Seja um Leitor Preferencial Record
e receba informações sobre nossos lançamentos.
Escreva para
RP Record
Caixa Postal 23.052
Rio de Janeiro, RJ fi CEP 20922-970
dando seu nome e endereço
e tenha acesso a nossas ofertas especiais.

Válido somente no Brasil.

Ou visite a nossa *home page*:
http://www.record.com.br